George Sand

Le château de Pictordu

ÉDITION PRÉSENTÉE ET ANNOTÉE
PAR MARTINE REID

Gallimard

> *Dans toutes les conditions de ma vie où j'ai été libre de choisir ma manière d'être, j'ai cherché un moyen d'idéaliser la réalité autour de moi [...]. Un songe d'âge d'or, un mirage d'innocence champêtre, artiste ou poétique, m'a prise dès l'enfance et m'a suivie dans l'âge mûr.*

> Histoire de ma vie

C'est durant l'hiver 1873, dans un quotidien de l'époque, *Le Temps*, auquel George Sand a accepté de prêter régulièrement son concours, qu'est d'abord publié en feuilleton le conte pour enfants intitulé *Le Château de Pictordu*. Il prend place ensuite dans le premier volume des *Contes d'une grand-mère*, qui paraît chez l'éditeur Michel Lévy.

George Sand a soixante-neuf ans. Sa petite-fille, à laquelle le conte est dédicacé, en a sept et se trouve doublement liée à la narratrice : non seulement elle porte le prénom de sa grand-mère (et de sa bisaïeule, Marie-Aurore de Saxe), mais elle a pour « nom de famille » le pseudonyme que celle-ci s'est forgé au commencement de sa carrière littéraire et qu'elle a réussi à faire adopter légalement à ses deux enfants, Maurice et Solange.

Comme sa petite-fille, George Sand a grandi au château de Nohant. À la suite du décès de son père et du retour à Paris de sa mère, elle a été élevée par sa grand-mère. Sans doute les temps ont-ils bien changé depuis son enfance à la campagne au début de l'Empire. Toutefois, le sud du Berry, les quelques maisons formant le village de Nohant à quelques kilomètres de La Châtre, la grande maison du XVIIIe siècle achetée par Marie-Aurore de Saxe en 1793, le parc et les deux cent quarante hectares qui l'entourent ont conservé le même caractère paisible, à l'écart des modes et des grands bouleversements politiques.

La vie à Nohant en 1873, partagée avec Maurice, sa jeune femme Lina et leurs deux filles comporte son lot de réjouissances familiales mais aussi son travail quotidien. L'activité littéraire de George Sand ne faiblit pas ; quant à Maurice, ses curiosités intellectuelles (il prépare alors un important ouvrage sur les papillons) sont nombreuses. Mère et fils travaillent souvent ensemble. Maurice illustre certains romans de sa mère, celle-ci préface volontiers ses ouvrages. C'est ensemble qu'ils composent les canevas du théâtre de marionnettes de Nohant ; c'est avec l'aide de Lina qu'ils confectionnent les costumes et accessoires pour le « théâtre des petits acteurs », qu'ils réalisent de libres figurations à la peinture à l'eau (les dendrites), qu'ils chassent les papillons et recueillent avec soin plantes rares et échantillons minéralogiques. « Nos petites grandissent, écrit George Sand à Charles Poncy, au début de l'année. Aurore est déjà une petite personne et une société charmante. Elle accapare toute mon existence à son profit et c'est là mon bonheur le plus soutenu et le plus intense. [...] Maurice fait mille folies pour amuser ses filles qui l'adorent [...]. Lina est toujours la perle de la maison [...]. Moi, je me porte bien, et vieillis sans trop de fatigue. »

Aux « petites », Aurore et Gabrielle, de deux ans sa cadette, la grand-mère raconte des histoires. Tradition ancestrale qui depuis des siècles place les femmes, nourrices, mères et grand-mères en position de conteuses, en descendantes inventives de « Ma mère l'Oie ». « [Les enfants] vivent, par leurs jeux mêmes, dans un milieu fictif, où la rêverie peut les suivre sans être refroidie par la réalité, observe Sand dans la notice de son roman *Gabriel*. [Ils] appartiennent au monde de l'idéal, par la simplicité de leurs pensées. » C'est dire si les histoires un peu étranges, merveilleuses et fantastiques, poétiques et vraies à la fois, sont faites pour eux.

À l'époque où George Sand publie ses contes, le genre est bien rodé et la littérature enfantine, dont les premières manifestations éditoriales remontent au siècle précédent, à Arnaud

Berquin et à Jeanne-Marie Leprince de Beaumont notamment, connaît un franc succès. La comtesse de Ségur est alors, sans contredit, l'auteure la plus célèbre dans ce domaine ; ses ouvrages, publiés dans la fameuse « Bibliothèque rose » créée par Louis Hachette au début du Second Empire, dominent les ventes et c'est dans un magazine spécialement conçu pour le jeune public, *La Semaine des enfants*, qu'ont paru en 1857 les seuls contes de fées qu'elle ait écrits.

Depuis longtemps, Sand est fascinée par les frontières entre le naturel et le surnaturel, le réel et le fantastique. Enfant, elle a entendu les chanvreurs berrichons raconter à la veillée « une foule d'histoires merveilleuses et saugrenues », celles de lavandières fantômes, de diables s'amusant à semer le désordre à l'écurie, de feux follets et de meneurs de loups. Elle en a recueilli quelques-unes dans les *Légendes rustiques*, que Maurice a illustrées ; elle s'en est souvenue aussi dans ses romans champêtres, et dans d'autres, moins connus. Sa technique dans ce domaine est à peu près toujours la même : elle crée d'abord une situation étrange dans laquelle des êtres surnaturels multiplient les signes de leur présence ; elle dissipe ensuite ce caractère merveilleux en lui donnant une explication rationnelle. Il en va ainsi pour *La Petite Fadette* comme pour *Les Dames vertes*. La nuit est favorable à toutes sortes de distorsions du réel dont le jour dissipe les effets ; les agissements magiques de quelque « fade » ou de quelque belle dame ne sont en réalité que des actes accomplis par des êtres humains cherchant à se rendre utiles.

De quelque sorte qu'elles soient, George Sand n'aime pas les superstitions. Il n'est pas légitime, répète-t-elle dans la préface, de croire au merveilleux, aux actions des génies et des fées, aux phénomènes qui ne sont surnaturels que parce qu'on ne se les explique pas. En revanche, il ne faut pas cesser de travailler à enchanter le réel par le pouvoir de l'imagination et du rêve, facultés puissantes qui rendent l'existence à sa nature *vraie*, profondément poétique. L'idée hante puissamment *Le Château de Pictordu*, où, au bout du compte, la réalité est bien « trouvée à travers la poésie, le sentiment et l'imagination ». Ce rapport singulier au réel assure d'ailleurs, aux yeux de Sand, le véritable talent artistique. Celui-ci ne consiste pas à peindre les gens tels qu'ils voudraient être, ainsi que le portraitiste Flochardet s'ingénie à le faire, mais à les saisir au prisme du génie poétique, ce à quoi la nature « artiste » de sa fille réussira excellemment (on aura noté au passage que pour Sand le talent n'a pas de sexe et qu'aucun frein, autre que celui de préjugés ridicules, ne saurait entraver son développement puis son épanouissement chez les filles).

Que, sur ce point comme sur beaucoup d'autres, la petite héroïne du *Château de Pictordu* ressemble beaucoup à celle qui l'a inventée est l'évidence. Sand reprend dans son conte bien des souvenirs de sa propre enfance, à commencer par sa propension à inventer sans cesse des « romans » pour se distraire, à se plaire en compagnie d'êtres de son imagination et à refaire le monde à sa façon, généreuse et utopique. Elle y rappelle les bienfaits de l'instruction (des filles tout particulièrement) tout en défendant, contre Rousseau, le droit des enfants à l'imagination et au songe. Il est important, dit-elle, de savoir « voir avec d'autres yeux ». Elle y construit enfin une relation très puissante à la mère morte, que Diane revoit en songe et dessine sans effort comme si elle avait conservé des traits de son visage une impression indélébile. Décédée près de quarante ans auparavant, en 1837, Sophie Dupin, qui a tant manqué à sa fille durant ses années d'enfance, prend ici la forme d'une créature sublime, aussi chèrement aimée qu'elle a été douloureusement regrettée. L'œuvre, picturale, en procède directement — comme s'il était décidément du destin des mères d'être au commencement de toute chose.

MARTINE REID

LETTRE D'UNE VIE (Folio Classique n° 4061)

CONSUELO suivi de LA COMTESSE DE RUDOLSTADT
(Folio Classique n°s 4107 et 4108)

FRANÇOIS LE CHAMPI (Folio n° 4203)

PAULINE (Folio 2 € n° 4522)

ELLE ET LUI (Folio Classique n° 4825)

Découvrez aussi sa correspondance avec Alfred de Musset :

Ô MON GEORGE, MA BELLE MAÎTRESSE, lettres
(Folio 2 € n° 5127)

À ma petite-fille Aurore Sand

La question est de savoir s'il y a des fées, ou s'il n'y en a pas. Tu es dans l'âge où l'on aime le merveilleux et je voudrais bien que le merveilleux fût dans la nature, que tu n'aimes pas moins.

Moi, je pense qu'il y est ; sans cela je ne pourrais pas t'en donner.

Reste à savoir où sont ces êtres, dits surnaturels, les génies et les fées ; d'où ils viennent et où ils vont, quel empire ils exercent sur nous et où ils nous conduisent. Beaucoup de grandes personnes ne le savent pas bien, et c'est pourquoi je veux leur faire lire les histoires que je te raconte en t'endormant.

I. LA STATUE PARLANTE

C'était au fin fond d'un pays sauvage appelé, dans ce temps-là, province du Gévaudan. Il était là tout seul, dans son désert de forêts et de montagnes, le château abandonné de Pictordu.

Il était triste, triste ; il avait l'air de s'ennuyer comme une personne qui, après avoir reçu grande compagnie et donné de belles fêtes, se voit mourir pauvre, infirme et délaissée.

Le recommandable M. Flochardet, peintre renommé dans le midi de la France, passait en chaise de poste sur le chemin qui côtoie la petite rivière. Il avait avec lui sa fille unique, Diane, âgée de huit ans, qu'il avait été chercher au couvent des Visitandines de Mende et qu'il ramenait à la maison, à cause d'une fièvre de croissance qui prenait l'enfant, de deux jours l'un, depuis environ trois mois. Le médecin avait conseillé l'air natal. Flochardet la conduisait à une jolie villa qu'il possédait aux environs d'Arles.

Partis de Mende, la veille, le père et la fille avaient fait un détour pour aller voir une parente, et ils devaient coucher le soir à Saint-Jean-Gardonenque qu'on appelle aujourd'hui Saint-Jean-du-Gard.

C'était longtemps avant qu'il y eût des chemins de fer. En toutes choses on allait moins vite qu'à présent. Ils ne devaient donc arriver chez eux que le surlendemain. Ils avançaient d'autant moins que le chemin était détestable. M. Flochardet avait mis pied à terre et marchait à côté du postillon.

— Qu'est-ce que c'est donc qu'il y a là devant nous ? lui dit-il ; est-ce une ruine, ou un banc de roches blanchâtres ?

— Comment, monsieur, dit le postillon, vous ne reconnaissez pas le château de Pictordu ?

— Je ne peux pas le reconnaître, je le vois pour la première fois. Je n'ai jamais pris cette route et je ne la prendrai plus jamais ; elle est affreuse et nous n'avançons point.

— Patience, monsieur. Cette vieille route est plus droite que la nouvelle ; vous auriez encore sept lieues à faire avant la couchée, si vous l'eussiez prise ; par ici, vous n'en avez plus que deux.

— Mais si nous mettons cinq heures à faire ce bout de chemin, je ne vois pas ce que j'y gagnerai.

— Monsieur plaisante. Dans deux petites heures nous serons à Saint-Jean-Gardonenque.

M. Flochardet soupira en pensant à sa petite Diane. C'était le jour de son accès de fièvre. Il avait espéré être rendu à l'auberge avant l'heure et la mettre au lit pour la reposer et la réchauffer. L'air du ravin était humide, le soleil était couché ; il craignait qu'elle ne fût sérieusement malade s'il lui fallait grelotter la fièvre en voiture, avec le frais de la nuit et les cahots du vieux chemin.

— Ah çà, dit-il au postillon, c'est donc une route abandonnée ?

— Oui, monsieur, c'est une route qui a été faite pour le château, et le château étant abandonné aussi...

— Il me paraît encore très riche et très vaste : pourquoi ne l'habite-t-on plus ?

— Parce que le propriétaire qui en a hérité lorsqu'il commençait à tomber en ruines, n'a pas le moyen de le faire réparer. Ça a appartenu dans le temps à un riche seigneur qui y faisait

17

ses folies, les bals, les comédies, les jeux, les festins, que sais-je ? Il s'y est ruiné, ses descendants ne se sont pas relevés, non plus que le château qui a encore une grande mine, mais qui, un de ces jours, croulera de là-haut dans la rivière, par conséquent sur le chemin que nous suivons.

— Pourvu qu'il nous permette de passer ce soir, qu'il s'écroule ensuite si bon lui semble ! Mais pourquoi ce nom bizarre de Pictordu ?

— À cause de cette roche que vous voyez sortir du bois au-dessus du château, et qui est comme tordue par le feu. On dit que, dans les temps anciens, tout le pays a brûlé. On appelle ça des pays de volcan. Vous n'en aviez jamais vu de pareils, je gage ?

— Si fait. J'en ai vu beaucoup, mais cela ne m'intéresse pas pour le moment. Je te prie, mon ami, de remonter sur ta bête et d'aller le plus vite que tu pourras.

— Pardon, monsieur, pas encore. Nous avons à passer le réservoir des cascades du parc. Il n'y a presque plus d'eau, mais il y a beaucoup de décombres, et il faudra que je conduise mes chevaux prudemment. Ne craignez rien pour la petite demoiselle, il n'y a pas de danger.

— C'est possible, répondit Flochardet, mais j'aime autant la prendre dans mes bras ; tu m'avertiras.

— Nous y sommes, monsieur, faites comme vous voudrez.

Le peintre fit arrêter la voiture, et en retira sa petite Diane, qui s'était assoupie et commençait à sentir le malaise de la fièvre.

— Montez cet escalier, dit le postillon ; vous traverserez la terrasse et vous vous trouverez en même temps que moi au tournant du chemin.

Flochardet monta l'escalier, portant toujours sa fille. C'était, malgré son état de délabrement, un escalier vraiment seigneurial, avec une balustrade qui avait été très belle et d'élégantes statues dressées encore de distance en distance. La terrasse, autrefois dallée, était devenue comme un jardin de plantes sauvages qui avaient poussé dans les pierres disjointes et qui s'étaient mêlées à quelques arbustes plus précieux, autrefois plantés en corbeille. Des chèvrefeuilles couleur de pourpre se mariaient à d'énormes touffes d'églantier ; des jasmins fleurissaient parmi les ronces ; les cèdres du Liban se dressaient au-dessus des sapins indigènes et des yeuses rustiques. Le lierre s'était étendu en tapis ou suspendu en guirlandes ; des fraisiers, installés sur les marches, traçaient des arabesques jusque sur le piédestal des statues. Cette terrasse, envahie par la végétation libre, n'avait peut-être jamais été si belle, mais Flochardet était un peintre de salon et il n'aimait pas beaucoup la nature. D'ailleurs, tout ce luxe de plantes folles rendait la marche difficile dans le crépuscule. Il craignait les épines pour le joli visage de sa fille, et il avançait en la garantissant de son mieux, lorsqu'il entendit au-dessous de lui un bruit de fers de chevaux résonnant sur les pierres, et la voix du postillon qui se lamentait, tantôt gémissant, tantôt jurant, comme si quelque malheur lui fût arrivé.

Que faire ? Comment voler à son secours avec un enfant malade dans les bras ? La petite Diane le tira d'embarras par sa douceur et sa raison. Les cris du postillon l'avaient tout à fait réveillée, et elle comprenait qu'il fallait tirer ce pauvre homme de quelque danger.

— Va, mon papa, cours, dit-elle à son père. Je suis très bien là. Ce jardin est très joli, je l'aime beaucoup. Laisse-moi ton manteau, je t'attendrai sans bouger. Tu me retrouveras ici, au pied de ce grand vase. Sois tranquille.

Flochardet l'enveloppa avec son manteau et courut voir ce qui était arrivé. Le postillon n'avait aucun mal, mais, en voulant escalader les décombres, il avait versé la voiture, dont les deux roues étaient absolument brisées. Un des chevaux s'était abattu et avait les genoux blessés. Le postillon était désespéré ; on ne devait que le plaindre ; mais Flochardet ne put se défendre d'une colère inutile. Qu'allait-il devenir à l'entrée de la nuit avec une fillette trop lourde à porter pendant deux lieues de pays, c'est-à-dire pendant trois heures de marche ? Il n'y avait pourtant pas d'autre parti à prendre. Il laissa le postillon se débrouiller tout seul et retourna chercher Diane.

Mais, au lieu de la trouver endormie au pied du grand vase comme il s'y attendait, il la vit venir à sa rencontre, bien éveillée et presque gaie.

— Mon papa, lui dit-elle, j'ai tout entendu, du bord de la terrasse. Le cocher n'a pas de mal, mais les chevaux sont blessés et la voiture est cassée. Nous ne pourrons pas aller plus loin ce soir, et je me tourmentais de ton inquiétude, quand la dame m'a appelée par mon nom. J'ai levé la tête et j'ai vu qu'elle avait le bras étendu vers le château; c'était pour me dire d'y entrer. Allons-y, je suis sûre qu'elle en sera contente et que nous serons très bien chez elle.

— De quelle dame parles-tu, mon enfant? Ce château est désert, et je ne vois ici personne.

— Tu ne vois pas la dame? C'est qu'il commence à faire nuit; mais moi je la vois encore très bien. Tiens! elle nous montre toujours la porte par où il faut entrer chez elle.

Flochardet regarda ce que Diane lui montrait. C'était une statue grande comme nature, qui représentait une figure allégorique, l'*Hospitalité* peut-être, et qui, d'un geste élégant et gracieux, semblait en effet désigner aux arrivants l'entrée du château.

— Ce que tu prends pour une dame est une statue, dit-il à sa fille, et tu as rêvé qu'elle te parlait.

— Non, mon père, je n'ai pas rêvé; il faut faire comme elle veut.

Flochardet ne voulut pas contrarier l'enfant malade. Il jeta un regard sur la riche façade du château qui, avec sa parure de plantes grimpantes accrochées aux balcons et aux découpures de la pierre sculptée, paraissait magnifique et solide encore.

— Au fait, se dit-il, c'est un abri en attendant mieux, et je trouverai bien un coin où la petite pourra reposer pendant que j'aviserai.

Il entra avec Diane, qui le tirait résolument

par la main, sous un superbe péristyle, et, allant droit devant eux, ils pénétrèrent dans une vaste pièce qui n'était plus, à vrai dire, qu'un parterre de menthes sauvages et de marrubes aux feuilles blanchâtres, entouré de colonnes dont plus d'une gisait par terre. Les autres soutenaient un reste de coupole percée à jour en mille endroits. Cette ruine ne parut pas fort avenante à Flochardet, et il allait revenir sur ses pas, quand le postillon vint le rejoindre.

— Suivez-moi, monsieur, dit-il ; il y a par ici un pavillon encore solide, où vous passerez fort bien la nuit.

— Il faut donc que nous y passions la nuit ? Il n'y a pas moyen de gagner, sinon la ville, du moins quelque ferme ou quelque maison de campagne ?

— Impossible, monsieur, à moins de laisser vos effets dans la voiture, qui ne peut plus marcher.

— Il n'est pas difficile d'en retirer mon bagage, qui n'est pas considérable, et d'en charger un de tes chevaux. Je monterai sur l'autre avec ma fille et tu nous montreras le chemin de l'habitation la plus voisine.

— Il n'y a aucune habitation que nous puissions gagner cette nuit. La montagne est trop mauvaise, et mes pauvres chevaux sont abîmés tous deux. Je ne sais pas comment nous sortirons d'ici, même en plein jour. À la grâce de Dieu ! Le plus pressé est de faire reposer la petite demoiselle. Je vais vous trouver une chambre où il y a encore des portes et des contrevents et dont le plafond ne s'écroulera pas. J'ai trouvé, moi, une espèce d'écurie pour mes bêtes, et comme j'ai mon petit sac d'avoine pour elles, comme vous avez quelques provisions pour vous, nous ne mourrons pas encore de misère ce soir. Je vais vous apporter toutes vos affaires et les coussins de la voiture pour dormir ; une nuit est bientôt passée.

— Allons, dit Flochardet, faisons comme tu l'entends, puisque tu as recouvré tes esprits. Il y a sans doute ici quelque gardien que tu connais et qui nous accordera l'hospitalité ?

— Il n'y a pas de gardien. Le château de Pictordu se garde tout seul. D'abord il n'y a rien à y prendre ; ensuite... Mais je vous raconterai ça plus tard. Nous voici à la porte de l'ancienne salle des bains. Je sais comment on l'ouvre. Entrez là, monsieur ; il n'y a ni rats, ni chouettes, ni serpents. Attendez-moi sans rien craindre.

En effet, ils étaient arrivés, tout en parlant et en traversant plusieurs corps de logis plus ou moins ruinés, à une sorte de pavillon bas et lourd, d'un style sévère. C'était, comme le reste du château, un édifice du temps de la Renaissance, mais tandis que la façade offrait un mélange capricieux de divers ordres d'architecture, ce pavillon, situé dans une cour en forme de cloître, était en petit une imitation des thermes antiques, et l'intérieur était assez bien clos et passablement conservé.

Le postillon avait apporté une des lanternes de la voiture avec sa bougie. Il battit le briquet, et Flochardet put s'assurer que le gîte était

23

possible. Il s'assit sur un socle de colonne et voulut prendre Diane sur ses genoux, pendant que le postillon irait chercher les coussins et les effets.

— Non, mon papa, merci, lui dit-elle. Je suis très contente de passer la nuit dans ce joli château. Je ne m'y sens plus malade. Allons aider le postillon, ce sera plus vite fait. Je suis sûre que tu as faim, et, quant à moi, je crois que je goûterai aussi avec plaisir aux gâteaux et aux fruits que tu as mis pour moi dans un petit panier.

Flochardet, voyant sa petite malade si vaillante, l'emmena, et elle sut se rendre utile. Au bout d'un quart d'heure, les coussins, les manteaux, les coffres, les paniers, en un mot tout ce que contenait la voiture fut transporté dans la salle de bains du vieux manoir. Diane n'oublia pas sa poupée, qui avait eu un bras cassé dans l'aventure. Elle eut envie de pleurer, mais voyant que son papa avait à regretter quelques objets plus précieux qui s'étaient brisés, elle eut le courage de ne pas se plaindre. Le postillon trouvait une consolation à constater que deux bouteilles de bon vin avaient échappé au désastre, et en les apportant il les regardait d'un air tendre.

— Allons, lui dit Flochardet, puisque après tout tu nous as trouvé un gîte et que tu te montres dévoué à nous servir... Comment t'appelles-tu ?

— Romanèche, monsieur !

— Eh bien, Romanèche, tu souperas avec nous, et tu dormiras dans cette grande salle, si bon te semble.

— Non, monsieur, j'irai panser et soigner mes

chevaux, mais un verre de vin n'est jamais de refus, surtout après un malheur. D'ailleurs je vous servirai. La petite demoiselle voudra peut-être de l'eau ; je sais où est la source. Je lui arrangerai son lit ; je sais soigner les enfants, j'en ai !

En parlant ainsi, le brave Romanèche disposait toutes choses. Le souper se composait d'une volaille froide, d'un pain, d'un jambon et de quelques friandises que Diane grignota avec plaisir. On n'avait ni chaises ni table, mais, au milieu de la salle, une piscine de marbre formait un petit amphithéâtre garni de gradins où l'on put s'asseoir à l'aise. La source qui avait jadis alimenté le bain et qui jaillissait encore dans le cloître, fournit une eau excellente que Diane but dans son petit gobelet d'argent. Flochardet donna une bouteille de vin à Romanèche et se réserva l'autre, ils se passèrent de verres.

Tout en mangeant, le peintre observait sa fille. Elle était gaie et eût volontiers babillé au lieu de dormir ; mais quand elle n'eut plus faim, il l'engagea à se reposer, et on lui fit une couchette très passable avec les coussins et les manteaux, dans une auge de marbre qui était au bord de la piscine. Il faisait un temps superbe, on était en plein été et la lune commençait à luire. D'ailleurs, il y avait encore une bougie et l'endroit n'était point triste. L'intérieur avait été peint à fresque. On voyait encore des oiseaux voltigeant dans les guirlandes du plafond et cherchant à attraper des papillons plus gros qu'eux. Sur les murailles, des nymphes dansaient en rond en se tenant par la main. Il manquait bien à celle-ci une jambe, à telle autre les mains ou la tête. Étendue sur son lit improvisé, avec sa poupée dans ses bras, Diane, se tenant tranquille en attendant le sommeil, regardait ces danseuses éclopées et leur trouvait quand même un grand air de fête.

II. LA DAME VOILÉE

Lorsque M. Flochardet jugea sa fille endormie, pendant que le postillon Romanèche, devenu valet de chambre, rangeait les restes du souper :

— Explique-moi donc, lui dit-il, pourquoi ce château se garde tout seul ; tu m'as fait entendre qu'il y avait à cela une cause particulière.

Romanèche hésita un peu ; mais le bon vin de son honnête voyageur l'avait mis en train de causer et il parla ainsi :

— Vous allez vous moquer de moi, monsieur, j'en suis sûr. Vous autres, gens instruits, vous ne croyez pas à certaines choses.

— Voyons, je t'entends, mon brave homme. Je ne crois pas aux choses surnaturelles, j'en conviens. Mais j'aime beaucoup les histoires merveilleuses. Ce château doit avoir sa légende ; raconte-la-moi, je ne me moquerai pas.

— Eh bien, voilà ce que c'est, monsieur. Je vous ai dit que le château de Pictordu se gardait tout seul : c'était une manière de dire. Il est gardé par la Dame au voile.

— Et la Dame au voile, qui est-ce ?

— Ah ! voilà ce que personne ne sait ! Les

uns disent que c'est une personne vivante qui s'habille à l'ancienne mode ; d'autres que c'est l'esprit d'une princesse qui a vécu il y a bien longtemps, et qui revient ici toutes les nuits.

— Nous aurons donc le plaisir de la voir ?

— Non, monsieur, vous ne la verrez pas. C'est une dame très polie qui souhaite qu'on entre honnêtement chez elle ; même elle invite quelquefois les passants à entrer, et s'ils n'y font pas attention, elle fait verser leurs voitures ou tomber leurs chevaux ; ou, s'ils sont à pied, elle fait rouler tant de pierres sur le chemin, qu'ils ne peuvent plus passer. Il faut qu'elle nous ait crié du haut du donjon ou de la terrasse, quelque parole d'invitation que nous n'avons pas entendue ; car, vous direz ce que vous voudrez, l'accident qui nous est arrivé n'est pas naturel, et si vous vous étiez obstiné à continuer votre chemin, il nous serait arrivé pire.

— Ah ! très bien. Je comprends à présent pourquoi tu as trouvé impossible de nous conduire ailleurs.

— Ailleurs, et même à la ville, vous eussiez été plus mal, moins proprement ; et sauf que le souper eût pu être meilleur… je l'ai pourtant trouvé diablement bon, moi !

— Il a été très suffisant et je ne me désole pas d'être ici ; mais je veux savoir tout ce qui concerne la Dame voilée. Quand on entre chez elle sans être invité, elle doit être mécontente ?

— Elle ne se fâche pas et ne se montre pas ; on ne la voit jamais, personne ne l'a jamais vue ; elle n'est pas méchante et n'a jamais fait de mal

27

aux personnes ; mais on entend une voix qui vous crie : *sortez !* et qu'on le veuille ou non, on se sent forcé d'obéir, comme si quelque chose de fort comme quarante paires de chevaux vous traînait.

— Alors, ceci pourra fort bien nous arriver, car elle ne nous a pas invités du tout.

— Pardon, monsieur, je suis sûr qu'elle a dû nous appeler, mais nous n'avons pas fait attention.

Flochardet se souvint alors que la petite Diane avait cru s'entendre appeler par la statue de la terrasse.

— Parle plus bas, dit-il au postillon ; cette enfant a rêvé quelque chose comme cela, et il ne faudrait pas qu'elle crût à de pareilles folies.

— Ah ! s'écria Romanèche ingénument, elle a entendu !... C'est bien ça, monsieur ! la Dame au voile adore les enfants, et quand elle a vu que vous passiez sans croire à son invitation, elle a fait verser la voiture.

— Et abîmer tes chevaux ? C'est un vilain tour pour une personne si hospitalière !

— Pour vous dire la vérité, monsieur, mes chevaux n'ont pas grand mal ; un peu de sang et voilà tout. C'est à la voiture qu'elle en voulait ; mais si on peut la raccommoder demain ou vous en procurer une autre, vous ne serez retardé que de quelques heures dans votre voyage, puisque vous deviez passer la nuit à Saint-Jean-Gardonenque. Peut-être que vous êtes attendu quelque part et que vous craignez d'inquiéter les personnes en n'arrivant pas au jour dit ?

— Certainement, répondit Flochardet, qui craignait un peu l'insouciance philosophique du brave homme ou sa trop grande soumission à quelque nouveau caprice de la femme voilée. Il faudra, de grand matin, nous occuper de réparer le temps perdu.

Le fait est que Flochardet n'était pas attendu chez lui à jour fixe. Sa femme ne savait pas que Diane fût malade au couvent, et elle ne comptait pas sur le plaisir de la revoir avant les vacances.

— Voyons, dit Flochardet à Romanèche, je crois qu'il est temps de dormir. Veux-tu dormir ici ? Je ne m'y oppose pas, si tu t'y trouves mieux qu'avec tes chevaux.

— Merci, monsieur, vous êtes trop bon, répondit Romanèche, mais je ne peux dormir qu'avec eux. Chacun a ses habitudes. Vous n'avez pas peur de rester seul avec la petite demoiselle ?

— Peur ? Non, puisque je ne verrai pas la Dame. À propos, pourrais-tu me dire comment on sait qu'elle est voilée, puisque personne ne l'a jamais vue ?

— Je ne sais pas, monsieur ; c'est une vieille histoire, je n'en suis pas l'auteur. J'y crois sans m'en tourmenter. Je ne suis pas poltron, et d'ailleurs je n'ai rien fait pour mécontenter l'esprit du château.

— Allons, bonsoir et bonne nuit, dit Flochardet ; sois ici avec le jour, n'y manque pas ; sers-nous vite et bien, tu ne t'en repentiras pas.

Flochardet, resté seul avec Diane, s'approcha d'elle et toucha ses joues et ses petites mains. Il fut surpris et content de les trouver fraîches.

Il essaya de lui tâter le pouls, bien qu'il ne connût pas grand-chose à la fièvre des enfants. Diane lui donna un baiser en lui disant :

— Sois tranquille, petit père, je suis très bien ; c'est ma poupée qui a la fièvre, ne la dérange pas.

Diane était douce et aimante ; elle ne se plaignait jamais. Mais elle avait l'air si calme et si enjoué que son père se réjouit aussi.

« Elle a eu son accès tantôt, pensa-t-il ; elle divaguait lorsqu'elle a cru entendre parler une statue ; mais l'accès a été très court et peut-être que le changement d'air a suffi à sa guérison. La vie de couvent ne lui convient peut-être pas. Je la garderai avec nous, et ma femme n'en sera certainement pas fâchée. »

Flochardet s'enveloppa du mieux qu'il put, s'étendit sur les marches de la piscine à côté de l'enfant et ne tarda pas à s'y sentir assoupi, comme un homme encore jeune et bien portant qu'il était.

M. Flochardet n'avait pas plus de quarante ans. Il était joli de figure, aimable, riche, bien élevé et fort galant homme. Il avait gagné beaucoup d'argent à faire des portraits bien finis, bien frais, que les dames trouvaient toujours ressemblants parce qu'ils étaient toujours embellis et rajeunis. À vrai dire, tous les portraits de Flochardet se ressemblaient entre eux. Il avait dans la tête un type très joli qu'il reproduisait sans cesse en le modifiant très peu ; il ne s'attachait qu'à rendre fidèlement le vêtement et la coiffure de ses modèles. L'exactitude de ces détails constituait toute la personnalité des figures. Il excellait à imiter la nuance d'une robe, le mouvement d'une boucle de cheveux, la légèreté d'un ruban, et il y avait tel de ses portraits qu'on reconnaissait tout de suite à la ressemblance du coussin ou du perroquet placé à côté du modèle. Il n'était pas sans talent. Il en avait même beaucoup dans son genre ; mais de l'originalité, du génie, le sentiment de la vie vraie, voilà des choses qu'il ne fallait pas lui demander ; aussi avait-il un succès incontesté ; et la bourgeoisie élégante le préférait à un grand maître qui aurait eu l'impertinence de reproduire une verrue ou d'accuser une ride.

Après deux ans de veuvage, il avait épousé en secondes noces une jeune personne, pauvre, mais de bonne famille, et qui le considérait comme le plus grand artiste de l'univers. Elle n'était point naturellement sotte, mais elle était si jolie, si jolie, qu'elle n'avait jamais trouvé le temps de réfléchir et de s'instruire. Aussi avait-elle reculé devant la tâche d'élever elle-même la fille de son mari. C'est pourquoi elle la lui avait fait mettre au couvent, avec l'idée qu'étant fille unique elle se plairait mieux avec de petites compagnes que seule de son âge au logis. Elle n'eût pas su jouer avec Diane et l'amuser elle-même, ou si elle l'eût su, elle n'en eût pas trouvé le temps. Il lui en fallait beaucoup pour s'habiller dix fois par jour et se faire chaque fois plus belle.

Flochardet était bon père et bon mari. Il trouvait bien que madame Flochardet était un peu frivole, mais c'était pour lui plaire qu'elle s'atiffait toute la journée. C'était aussi, disait-elle, pour lui être utile en le mettant à même d'étudier l'attirail des parures féminines dont il tirait si grand parti dans sa peinture.

Tout en s'endormant dans la piscine du vieux manoir, Flochardet songeait à ces choses, aux toilettes et à la beauté de sa femme, à sa fille malade, peut-être déjà guérie, à sa riche clientèle, aux travaux qu'il lui tardait de reprendre, à l'accident de la voiture, à la coïncidence singulière du récit fantastique du postillon avec l'hallucination de la petite Diane, à la Dame voilée et au besoin qu'éprouvent les gens de la campagne de croire aux choses merveilleuses, même sans que la peur soit la cause de ces rêveries ; et tout en ruminant ces diverses impressions, il s'endormit profondément et ronfla même un peu.

Diane dormait aussi, n'est-ce pas ? Eh bien, j'avoue que je n'en sais rien. Je vous ai parlé de son père et de sa mère et je me suis permis cette digression au risque de vous impatienter, parce qu'il faut que vous sachiez pourquoi Diane était une petite fille habituellement tranquille et rêveuse. Elle avait passé sa première enfance toute seule avec sa nourrice qui l'adorait, mais qui parlait fort peu, et elle avait été obligée d'arranger elle-même, comme elle pouvait, dans sa petite tête, les idées qui lui venaient. Vous ne serez donc pas trop surpris de ce que je vous dirai d'elle par la suite. Pour le moment, je dois vous raconter comment son esprit fut éveillé et travaillé dans le château de Pictordu.

Quand elle entendit ronfler son papa, elle

ouvrit les yeux et regarda autour d'elle. Il faisait sombre dans la grande salle ronde, mais comme la voûte n'était pas élevée et qu'une des lanternes de la voiture, accrochée au mur, donnait encore une lumière terne et tremblotante, Diane distinguait encore une ou deux des danseuses imitées de l'antique qui se trouvaient placées devant elle. La mieux conservée et la plus dégradée en même temps, était une grande personne dont la robe verdâtre avait une certaine fraîcheur, dont les bras et les jambes nues ne manquaient pas de dessin, mais dont la figure, envahie par l'humidité, avait entièrement disparu. Diane, tout en sommeillant, avait entendu, d'une manière vague, ce que le postillon avait raconté à M. Flochardet de la Dame voilée, et peu à peu, elle se mit à songer que ce corps sans figure devait avoir quelque rapport avec la légende du château.

« Je ne sais pas, pensa-t-elle, pourquoi mon papa traite cela de folie. Je suis bien sûre, moi, que cette dame m'a parlé sur la terrasse et même avec une très jolie voix bien douce. Je serais contente si elle voulait me parler encore. Et même, si je ne craignais pas de mécontenter papa qui me croit toujours malade, j'irais bien voir si elle est encore là. »

À peine avait-elle pensé cela, que la lanterne s'éteignit et qu'elle vit une grande belle clarté bleue, comme celle de la lune, traverser la salle ; et dans ce rayon de lumière douce, elle vit que la danseuse antique avait quitté la muraille et venait à elle.

Ne croyez point qu'elle en eut peur, c'était une forme exquise. Sa robe faisait mille plis gracieux sur son beau corps et semblait semée de paillettes d'argent : une ceinture de pierreries retenait les pans de sa tunique légère ; un voile de gaze brillante était roulé sur sa chevelure qui s'échappait en tresses blondes sur ses épaules blanches comme neige. On ne pouvait distinguer son visage à travers cette gaze, mais il en sortait comme deux pâles rayons à la place des yeux. Ses jambes nues et ses bras découverts jusqu'à l'épaule étaient d'une beauté parfaite. Enfin la nymphe incertaine et pâlie de la muraille était devenue une personne vivante tout à fait charmante à regarder.

Elle vint tout près de l'enfant et, sans effleurer son père étendu auprès d'elle, elle se pencha sur le front de Diane et y mit un baiser : c'est-à-dire que Diane entendit le doux bruit de ses lèvres et ne sentit rien. La petite jeta ses bras autour du cou de la dame pour lui rendre sa caresse et la retenir, mais elle n'embrassa qu'une ombre.

— Vous êtes donc faite tout en brouillard, lui dit-elle, que je ne vous sens pas ? Au moins parlez-moi, pour que je sache si c'est vous qui m'avez déjà parlé.

— C'est moi, répondit la dame ; veux-tu venir te promener avec moi ?

— Je veux bien, mais ôte-moi la fièvre, pour que mon papa ne soit plus inquiet.

— Sois tranquille, tu n'auras aucun mal avec moi. Donne-moi ta main.

L'enfant tendit sa main avec confiance, et,

bien qu'elle ne sentît pas celle de la fée, il lui sembla qu'une fraîcheur agréable passait dans tout son être.

Elles sortirent ensemble de la salle.

— Où veux-tu aller ? dit la dame.

— Où tu voudras, répondit la petite fille.

— Veux-tu retourner sur la terrasse ?

— La terrasse m'a paru bien jolie avec tous ses buissons et sa grande herbe pleine de petites fleurs.

— N'as-tu pas envie de voir le dedans de mon château, qui est plus beau encore ?

— Il est tout à jour et tout démoli !

— C'est ce qui te trompe. Il paraît comme cela à ceux que je n'autorise pas à le voir.

— Me permettras-tu de le voir, moi ?

— Certainement. Regarde !

Aussitôt les ruines au milieu desquelles Diane croyait être furent remplacées par une belle galerie aux plafonds dorés en relief. Entre chaque grande croisée, des lustres de cristal s'allumèrent et de grandes belles figures de marbre noir portant des flambeaux se dressèrent dans les embrasures. D'autres statues, les unes de bronze, les autres de marbre blanc ou de jaspe, d'autres toutes dorées, parurent sur leurs socles richement sculptés, et un pavé de mosaïque représentant des fleurs et des oiseaux bizarrement disposés, s'étendit à perte de vue sous les pas de la petite voyageuse. En même temps, les sons d'une musique lointaine se firent entendre, et Diane, qui adorait la musique, se mit à sauter et à courir, impatiente de voir danser, car elle ne doutait point que la fée ne la conduisît au bal.

— Tu aimes donc bien la danse ? lui dit la fée.

— Non, répondit-elle. Je n'ai jamais appris à danser, et je me sens les jambes trop faibles ; mais j'aime à voir tout ce qui est joli et je voudrais vous voir encore danser en rond, comme je vous ai vue en peinture.

Elles arrivèrent dans un grand salon tout rempli de glaces très éclairées, et la fée disparut ; mais aussitôt Diane vit une quantité de personnes semblables à elle, en robe verte et en voile de gaze, qui bondissaient légèrement par centaines dans tous ces grands miroirs, au son d'un orchestre qu'on ne voyait pas. Elle prit grand amusement à regarder cette ronde, jusqu'à ce qu'elle en eut les yeux fatigués, et il lui sembla qu'elle dormait. Elle se sentit réveiller par la main fraîche de la fée et elle se trouva dans une autre pièce encore plus belle et plus riche, au milieu de laquelle il y avait une table d'or massif de très belle forme, chargée de friandises, de fruits extraordinaires, de fleurs, de gâteaux et de bonbons qui montaient jusqu'au plafond.

— Prends ce que tu voudras, lui dit la fée.

— Je n'ai envie de rien, répondit-elle, à moins que ce ne soit de l'eau bien froide. J'ai chaud comme si j'avais dansé.

La fée souffla sur elle à travers son voile, et elle se sentit reposée et désaltérée.

— Te voilà bien ; que veux-tu voir à présent ?

— Tout ce que tu voudras que je voie.

— N'as-tu aucune idée ?

— Veux-tu me faire voir des dieux ?

La fée ne parut pas surprise de cette demande. Diane avait eu autrefois dans les mains un vieux livre de mythologie avec des figures bien laides qui lui avaient semblé très belles d'abord, et qui avaient fini par l'impatienter. Elle rêvait de voir quelque chose de mieux et pensait que la fée devait avoir de belles images. Celle-ci la conduisit dans une salle où il y avait des peintures représentant des personnages mythologiques grands comme nature. Diane les regarda d'abord avec étonnement et puis avec le désir de les voir remuer.

— Fais-les donc venir auprès de nous, dit-elle à la fée.

Aussitôt toutes ces divinités sortirent de leurs cadres et se mirent à marcher autour d'elles, puis à s'élever très haut et à tourbillonner au plafond comme des oiseaux qui se poursuivent. Elles allaient si vite que Diane ne pouvait plus les distinguer. Il lui sembla en reconnaître quelques-unes qu'elle avait aimées dans son livre, la gracieuse Hébé avec sa coupe, la fière Junon avec son paon, le gentil Mercure avec son petit chapeau, Flore avec toutes ses guirlandes ; mais tout ce mouvement la fatigua encore.

— Il fait trop chaud chez toi, dit-elle à la fée, mène-moi dans ton jardin.

Au même instant elle se trouva sur la terrasse ; mais ce n'était plus l'endroit inculte et sauvage qu'elle avait traversé pour entrer dans le château. C'était un parterre aux sentiers sablés en manière de mosaïque avec des petits cailloux de diverses

couleurs, et des corbeilles où mille dessins
étaient tracés avec des fleurs, à l'imitation d'un
riche tapis. Les statues chantaient un beau can-
tique en l'honneur de la lune, et Diane souhaita
voir la déesse dont on lui avait donné le nom.
Elle parut aussitôt en forme de nuage argenté
dans le ciel. Elle était grande, grande, et tenait un
arc très brillant. Par moments elle devenait plus
petite, et puis si petite qu'on eût dit d'une hiron-
delle ; elle se rapprochait et devenait grande.
Diane se lassa de la suivre des yeux et dit à la fée :

— À présent, je voudrais t'embrasser.

— C'est-à-dire que tu veux dormir ? dit la fée
en la prenant dans ses bras. Eh bien dors ; mais
quand tu seras éveillée, n'oublie rien de ce que
je t'ai fait voir.

Diane s'endormit profondément et, quand elle
ouvrit les yeux, elle se retrouva couchée dans
l'auge de marbre, tenant dans sa main la petite
main de sa poupée. L'aube bleuâtre avait rem-
placé la lune bleue. M. Flochardet était levé et
avait ouvert son nécessaire de voyage. Il se faisait tranquillement la barbe, car, dans ce temps-
là, un homme du monde, dans quelque situation
qu'il se trouvât, eût rougi de n'être pas rasé de
frais dès le matin.

III. MADEMOISELLE DE PICTORDU

Diane se leva, remit ses souliers qu'elle avait
ôtés pour dormir, rattacha les agrafes de sa robe
et pria son papa de lui prêter le miroir pour

qu'elle pût faire aussi un brin de toilette pendant qu'il irait avec Romanèche organiser le départ. Flochardet, la sachant propre et soigneuse, la laissa seule, en lui recommandant, si elle sortait, de ne pas se risquer dans les décombres du château sans bien regarder à ses pieds.

Diane fit sa toilette, rangea très bien toutes les pièces du nécessaire et, ne voyant pas revenir son père, elle alla errer dans le château, espérant retrouver toutes les belles choses qu'elle avait vues avec la fée pendant la nuit. Mais elle n'en retrouva même pas la place. Les escaliers en spirale étaient rompus, ou leurs marches tournaient sur leurs pivots sans pouvoir s'appuyer aux flancs des tours écroulées. Les salles superposées s'étaient effondrées les unes sur les autres et on ne pouvait plus rien comprendre à la distribution des corps de logis. On voyait bien que tous ces édifices avaient été richement ornés ; certaines parois de murailles conservaient des traces de peinture ; il y avait des restes de dorure sur les marbres brisés ; des cheminées très belles tenaient encore aux murailles et se dressaient dans le vide ; le sol était jonché de débris de toute sorte ; des vitres de couleur montraient leurs petits fragments comme des étincelles semées sur la verdure des plantes sauvages ; de petites mains de marbre qui avaient appartenu à des statues de cupidons, des ailes de zéphir en bronze autrefois doré, détachées de quelque candélabre, des haillons de tapisserie rongés par les rats, mais où l'on voyait encore une pâle figure de reine ou un vase rempli de fleurs, enfin tout un luxe princier en miettes, tout un monde de richesses et de plaisirs tombé en poussière.

Diane ne comprenait pas cet abandon d'un château si grand, dont la façade se dressait encore magnifique au flanc du ravin. Il faut, pensait-elle, que ce que je vois soit un rêve que je fais maintenant. On me dit que quand j'ai la fièvre, je déraisonne un peu. Je ne l'avais pas cette nuit, je voyais les choses telles qu'elles doivent être. Je ne me sens pourtant pas malade, mais la fée me l'a dit, on ne peut voir son château que quand elle le permet, et je dois me contenter de le voir tel qu'elle me le montre en ce moment.

Après avoir vainement cherché les belles chambres, les grandes galeries, les peintures et les statues, la table d'or chargée de bonbons, toutes les merveilles au milieu desquelles elle avait passé la nuit, Diane s'en alla dans le jardin et n'y trouva que des orties, des ronces, de grands bouillons blancs et des asphodèles. Je ne sais quel instinct lui persuada que ces plantes n'étaient pas plus laides que d'autres, et ces parterres dépouillés de leurs dessins symétriques et de leur cailloutage de couleur, dont elle retrouva quelques petits vestiges en cherchant des fraises, lui plurent tels qu'ils étaient. Elle ramassa quelques fragments de ces mosaïques, qu'elle mit dans ses poches, et passant au bord de la terrasse, elle chercha au milieu du fouillis des arbustes la statue qui lui avait parlé la veille. Elle la retrouva debout à côté du grand vase, le bras étendu vers l'entrée du château ; mais elle ne parlait plus. Comment eût-elle parlé ? elle n'avait pas de bouche, elle n'avait pas de figure. Il ne lui restait que le derrière de la tête avec un bout de draperie roulé dans ses cheveux de pierre. Les autres statues étaient encore plus mutilées par le temps, l'abandon et les cailloux que des enfants stupides s'étaient amusé à leur lancer. Une personne plus avancée que Diane eût compris que ces statues debout dans la solitude faisaient peur aux paysans, et que les gens raisonnables, regrettant les dégâts, avaient laissé croire aux ignorants que le château était gardé par une dame sans figure qui accueillait les inoffensifs et punissait les malappris. Quelques accidents étant arrivés au bas de la terrasse, où il y avait effectivement un passage étroit et difficile entre le grand mur et la petite rivière, la croyance à un esprit gardien des ruines s'était répandue, et personne n'y faisait plus de dommages ; mais le triste état des autres statues témoignait des outrages qu'elles avaient longtemps subis. À toutes, il manquait un ou deux bras, quelques-unes gisaient étendues dans les chardons violets et les linaires jaunes.

En regardant avec attention celle qui lui avait parlé, Diane s'imaginait reconnaître le portrait de son aimable fée, en même temps qu'elle identifiait aussi cette figure avec celle de la danseuse peinte dans la salle où elle avait dormi. Elle pouvait bien s'imaginer à cet égard tout ce qu'elle voulait, toutes ces divinités de la Renaissance imitées de l'antique ont dans les formes aussi bien que dans le costume un air de famille, et le hasard ayant voulu que toutes deux eussent la figure emportée, l'idée de la petite Diane était, sinon juste, du moins ingénieuse.

Fatiguée de marcher, elle tâcha de rejoindre son père et le trouva en bas de la terrasse, occupé à activer les réparations de la voiture. Romanèche avait déterré aux environs une espèce de charron, bon paysan pas trop maladroit, mais qui n'allait pas vite et qui n'était pas très bien outillé.

— Il faut prendre patience, ma petite demoiselle, lui dit Romanèche ; j'ai trouvé pour vous du pain bis qui n'est point mauvais, de la crème bien fraîche et des cerises. J'ai porté tout cela dans votre grande chambre. Si vous voulez y retourner déjeuner, ça vous désennuiera.

— Je ne m'ennuie pas du tout, répondit Diane, mais j'irai manger un peu. Je vous remercie d'avoir pensé à moi.

— Comment te trouves-tu ? lui demanda son père. Comment as-tu dormi ?

— Je n'ai pas dormi beaucoup, mon papa, mais je me suis amusée on ne peut mieux.

— Amusée en rêve, tu veux dire ? Tu as eu des songes gais ? Allons, c'est bon signe ; va manger.

Et, en la regardant s'éloigner, Flochardet admirait le bon naturel de cette enfant pâle et menue qui trouvait toujours toutes choses à son gré, ne tourmentait personne de son mal et montrait une petite gaieté tranquille en toute circonstance.

« Je ne comprends pas, pensait-il, que ma femme ait cru devoir l'éloigner de la maison, où elle faisait si peu de bruit et se montrait si facile à contenter. Je sais bien que ma sœur l'abbesse des Visitandines de Mende est très bonne pour elle, mais ma femme devrait la choyer encore mieux. »

Diane retourna dans la salle de bains, et, comme elle savait lire, elle remarqua une inscription à demi effacée, gravée au-dessus de la porte des thermes. Elle réussit à la déchiffrer et à lire : *Bain de Diane*.

Tiens ! se dit-elle en riant, je suis donc ici chez moi ? J'aimerais bien à m'y baigner, mais l'eau n'y arrive plus, et je dois me contenter d'y déjeuner et d'y dormir.

Elle trouva excellentes les choses que Romanèche avait placées pour elle sur les degrés de la piscine, et ensuite elle eut envie de dessiner.

Vous pensez bien qu'elle ne savait guère ; son père ne lui avait jamais donné de leçons. Il s'était contenté de lui donner du papier et des crayons tant qu'elle en voulait pour faire ses barbouillages d'enfant dans un coin de son atelier, et dans ce temps-là, elle essayait de copier les portraits qu'elle lui voyait faire. Il trouvait ces essais fort drôles et en riait de tout son cœur, mais il ne croyait pas qu'elle eût la moindre disposition pour le dessin, et il était résolu à ne pas la tourmenter pour lui faire suivre sa carrière.

Au couvent où Diane venait de passer un an, on n'apprenait pas à dessiner. Dans ce temps-là, on ne recevait une éducation d'artiste que pour arriver à gagner sa vie, et Flochardet, étant riche, pensait à faire de sa fille une vraie demoiselle, c'est-à-dire une jolie personne sachant s'habiller et babiller, sans se casser la tête pour être autre chose.

Diane aimait pourtant le dessin avec passion, et jamais elle n'avait rencontré un tableau, une statue ou une image sans l'examiner avec une grande attention. Il y avait dans la chapelle de son couvent quelques statuettes de saintes et quelques peintures qui lui plaisaient plus ou moins. Je ne sais pourquoi, en regardant la fresque des bains de Diane au château de Pictordu, et en se rappelant d'une manière un peu confuse tout ce que la fée lui avait montré durant la nuit, elle se persuada que les images de son couvent ne valaient rien et qu'elle avait maintenant devant les yeux quelque chose de très beau.

Elle se rappela qu'en mettant deux albums dans sa malle, son père lui avait dit : « Ce petit-là sera pour toi, si tu as encore le goût de gâcher du papier. »

Elle chercha et prit cet album, tailla le crayon avec son petit couteau de poche et se mit à copier la nymphe à la robe verte que le soleil du matin éclairait d'une fraîche lumière ; et alors elle remarqua que cette figure ne dansait point ; elle passait majestueusement, marquant peut-être la mesure d'un pas moelleux, mais sans se trémousser, car ses deux pieds posaient sur le nuage qui la portait, et ses mains, enlacées à celles de ses sœurs, ne les tiraient point pour activer le mouvement de la ronde. C'est peut-être une muse, pensa Diane, qui n'avait point oublié sa mythologie, bien que toutes ces fables profanes fussent proscrites du couvent.

Tout en rêvant, Diane dessinait, dessinait ; mécontente de sa première copie, elle en fit une seconde, et puis une autre, et une autre, jusqu'à ce que l'album fût à moitié rempli. Et quand elle en fut là, elle n'était pas contente encore ; elle allait continuer, lorsqu'une petite main se posa sur son épaule. En se retournant avec vivacité, Diane vit derrière elle une fillette d'environ dix ans, assez pauvrement mise, mais jolie et bien faite, qui regardait son dessin et lui dit d'un air moqueur :

— Vous vous amusez donc à faire des bonnes femmes sur les livres, vous ?

— Oui, répondit Diane ; et vous ?

— Moi, non ! jamais. Mon père me le défend. Je ne gâte pas ses livres.

— Mon papa m'a donné celui-ci pour m'amuser, reprit Diane.

— Vraiment ? Il est donc bien riche ?

— Riche ? Mon Dieu, je ne sais pas !

— Vous ne savez pas ce que c'est que d'être riche ?

— Pas beaucoup. Je n'ai jamais pensé à cela.

— C'est que vous êtes riche, alors. Moi, je sais très bien ce que c'est d'être pauvre.

— Si vous êtes pauvre… je n'ai rien, moi, mais je vais demander à mon papa…

— Ah ! vous me prenez pour une mendiante ? Vous n'êtes pas polie, vous ! C'est parce que je n'ai qu'une petite robe d'indienne pendant que vous avez une jupe de soie ? Sachez que je suis pourtant très au-dessus de vous. Vous n'êtes que la fille d'un peintre, et moi je suis mademoiselle

Blanche de Pictordu, fille du marquis de Pictordu.

— D'où me connaissez-vous donc ? dit Diane fort peu éblouie de ces distinctions auxquelles elle ne comprenait goutte.

— Je viens de voir votre papa dans la cour de mon château, où il a causé avec mon père. Je sais que vous avez passé la nuit ici, votre papa s'en est excusé et mon père, qui est un vrai seigneur, l'a invité à venir dans une maison mieux arrangée que ce château abandonné. Je vous avertis parce que vous allez venir dîner chez nous à la maison neuve.

— J'irai où mon papa voudra, répondit Diane, mais je voudrais savoir pourquoi vous dites que ce château-ci est abandonné. Je crois, moi, qu'il est toujours très beau et que vous ne savez pas tout ce qu'il y a dedans.

— Il y a dedans, dit mademoiselle de Pictordu d'un air triste et hautain, des couleuvres, des chauves-souris et des orties. Vous n'avez que faire de vous moquer. Je sais que nous avons perdu la fortune de nos ancêtres et que nous sommes forcés de vivre comme des petits gentilshommes de campagne. Mais mon papa m'a appris que cela ne nous rabaissait pas, parce que personne ne peut faire que nous ne soyons pas les seuls vrais Pictordu.

Diane comprenait de moins en moins les idées et le langage de cette demoiselle. Elle lui demanda ingénument si elle était la fille de la *Dame au voile*.

Cette question parut irriter beaucoup la jeune châtelaine.

— Apprenez, répondit-elle sèchement, que la Dame au voile n'existe pas et qu'il n'y a que des ignorants et des fous qui puissent croire à de pareilles sottises. Je ne suis pas la fille d'un fantôme, ma mère était d'aussi bonne maison que mon père.

Diane se sentant trop ignorante pour lui répondre, ne répondit pas, et son père vint lui dire de se préparer au départ. La voiture était réparée. Le marquis de Pictordu exigeait que le peintre acceptât son dîner. Dans ce temps-là on dînait à midi. La maison neuve du marquis était à la sortie du ravin sur la route de Saint-Jean-Gardonenque. De temps en temps, ce marquis venait se promener dans les ruines du manoir de ses aïeux, et, ce jour-là, s'y étant rendu par hasard, il s'était montré très aimable et très hospitalier pour les voyageurs qu'un accident y avait retenus.

Flochardet engagea tout bas Diane à mettre une robe plus fraîche avant qu'il fermât les malles, mais Diane, malgré sa simplicité, avait beaucoup de tact. Elle voyait bien que Blanche de Pictordu était jalouse de sa simple toilette de voyage. Elle ne voulut pas augmenter son dépit en se faisant plus belle. Elle pria son père de la laisser comme elle était, et même elle retira et mit dans sa poche une petite boucle de turquoises qui retenait le velours noir passé à son cou.

Quand la voiture fut rechargée, le marquis et

sa fille, qui étaient venus à pied, y montèrent avec Diane et Flochardet, et, une demi-heure après, on arriva à la maison neuve.

C'était une petite ferme avec un pigeonnier aux armes de la famille et un appartement de maître des plus modestes. Le marquis était un excellent homme assez borné, peu instruit quoique bien élevé, très hospitalier et très pieux, et pourtant incapable de se résigner à être un des moindres seigneurs de sa province, lui qui par sa naissance, se flattait d'être au-dessus des huit grands barons du Gévaudan.

Il n'avait d'amertume contre personne et trouvait fort juste qu'un peintre s'enrichît par le travail. Il témoignait beaucoup d'estime à Flochardet dont il n'était pas sans avoir entendu parler, et il lui faisait le meilleur accueil possible ; mais il ne pouvait se défendre de s'excuser à tout instant de son manque de luxe, et d'ajouter que, dans ce monde en décadence, la noblesse sans l'argent n'était plus considérée.

Ce n'est pas qu'il fût maussade. Il s'ennuyait et ne demandait qu'à être égayé ; mais il avait tort de parler toujours de sa position devant sa fille. La petite Blanche était née orgueilleuse et envieuse. Elle avait déjà le caractère aigri et c'était grand dommage, car elle eût pu être une charmante fille, aussi heureuse qu'une autre si elle se fût contentée de son sort. Son père était très bon pour elle, et après tout, elle ne manquait que du superflu.

Le dîner fut très honnête et très proprement servi par une grosse paysanne qui était la nourrice de Blanche et la seule domestique de la maison.

On parla de beaucoup de choses qui n'intéressaient pas Diane. Mais quand il fut question du vieux château qu'elle avait quitté, sans oser le dire, avec un très vif regret, elle ouvrit tant qu'elle put ses oreilles.

Son père disait au marquis : — Je m'étonne, puisque vous vous plaignez de quelques embarras de fortune, de l'abandon où vous avez laissé les objets d'art ancien dont vous auriez pu tirer parti.

— Y a-t-il réellement encore des objets d'art dans mon château ? demanda le marquis.

— Il y en a eu avant que tous les toits fussent effondrés. J'ai vu beaucoup de débris, qui, sauvés à temps, eussent pu être envoyés en Italie où l'on a encore le goût de ces choses anciennes.

— Oui, reprit le marquis ; avec quelque argent, j'eusse pu encore sauver quelque chose, je le sais ; mais ce peu d'argent, je ne l'avais pas. Il eût fallu faire venir un artiste, lui dire de faire un choix et d'évaluer ; et puis les emballages, le transport des objets, un voyageur de confiance pour les accompagner… Vous comprenez que je ne pouvais pas faire moi-même le métier de marchand !

— Mais, dans les environs, il ne s'est trouvé personne qui eût envie de quelques tapisseries ou de quelques statues ?

— Personne. Les riches d'aujourd'hui méprisent ces antiquailles. Ils suivent la mode, et la mode est aux chinoiseries, aux rocailles, aux bergères poudrées ; on n'aime plus les nymphes et les muses. Il faut du tortillé, du riche et du surchargé. N'est-ce pas votre opinion ?

— Je ne dis jamais de mal de la mode, reprit le peintre. Je suis, par état, son aveugle et dévoué serviteur. Pourtant la mode change, et il se peut qu'on se reprenne de goût pour le vieux style du temps des Valois. Si vous avez sauvé quelques débris des ornements de votre château, gardez-les ; un temps peut venir où ils auront quelque valeur.

— Je n'ai rien sauvé, répondit le marquis. Quand je suis venu au monde, mon père avait déjà laissé tout dépérir, par dépit et aussi par fierté. Rien ne l'eût décidé à vendre une pierre de son château, et il ne l'a quitté que quand il a failli lui tomber sur la tête. Plus humble et plus soumis à la volonté du ciel, je suis venu habiter cette petite ferme, seul bien qui me reste de nos immenses propriétés.

Diane essayait de comprendre ce qu'elle entendait et elle croyait le comprendre ; elle eut un remords de conscience. Elle tira de sa poche une poignée de ces petits cailloux de diverses couleurs qu'elle avait ramassés dans le parterre, et, la donnant à M. Flochardet :

— Papa, lui dit-elle, voilà ce que j'ai pris dans le jardin du château. Je croyais que c'était des cailloux comme les autres ; mais puisque tu dis que M. le marquis a eu tort de tout laisser se perdre, il faut lui rendre ces choses-là qui sont à lui et que je n'avais pas l'intention de dérober.

Le marquis fut attendri de la gentillesse de

Diane, et, remettant les mosaïques dans la main de l'enfant :

— Gardez-les en souvenir de nous, dit-il ; je regrette, ma chère petite, que ce soient des morceaux de verre et des fragments de marbre sans aucune valeur. Je voudrais avoir mieux à vous offrir.

Diane hésita à reprendre les jouets qu'on lui offrait si gracieusement. En tirant à la hâte tout ce qui remplissait sa poche, elle en avait retiré aussi sa petite boucle de turquoises, et elle regardait son père en lui montrant mademoiselle Blanche qui, de son côté, regardait le bijou et paraissait mourir d'envie d'y toucher. Flochardet comprit la bonne intention de sa fille, et présentant la boucle à mademoiselle de Pictordu :

— Diane vous prie, lui dit-il, d'accepter, en échange de vos jolis cailloux, ces petites pierres taillées, afin que vous gardiez un souvenir l'une de l'autre.

Blanche rougit à en avoir les oreilles cramoisies. Elle était trop fière pour accepter simplement, mais l'envie qu'elle avait de ces gentilles turquoises lui faisait battre le cœur.

— Vous ferez beaucoup de chagrin à ma fille si vous refusez, lui dit Flochardet.

Blanche saisit le bijou avec un mouvement nerveux, l'arracha presque des mains du peintre et sortit en courant, sans prendre le temps de remercier, tant elle craignait que son père ne lui ordonnât de refuser.

C'est peut-être ce qu'il eût fait s'il eût espéré d'être obéi ; mais, connaissant le caractère de l'enfant, il ne voulut point rendre ses hôtes témoins d'une scène fâcheuse. Il pria Flochardet d'excuser les manières brusques d'une petite sauvage et remercia à sa place.

Le dîner étant terminé, Flochardet, qui voulait voyager le reste de la journée, prit congé du marquis en l'invitant, s'il allait dans le Midi, à l'honorer de sa visite. Le marquis le remercia des moments agréables qu'il lui avait fait passer, et ils échangèrent une poignée de main. Blanche, mandée par lui, vint de mauvaise grâce donner un froid baiser à Diane. Elle avait au cou l'agrafe de turquoises et y tenait la main, comme si elle craignait qu'on ne la lui reprît. Diane ne put s'empêcher de la trouver bien sotte, mais elle lui pardonna en faveur du bon marquis, qui avait fait remplir les paniers de la voiture de ses meilleurs gâteaux et de ses plus beaux fruits.

IV. LE PETIT BACCHUS

Le reste du voyage se fit sans accident.

Diane n'eut plus la fièvre, et elle avait presque repris ses couleurs quand Flochardet la mit dans les bras de sa belle-mère en disant à celle-ci : « Je vous la ramène parce qu'elle était malade. Je la crois déjà guérie, mais il faudra pourtant voir si la fièvre ne revient pas. »

Diane était si contente de se retrouver chez ses parents qu'elle en fut comme ivre pendant plusieurs jours. Madame Flochardet était joyeuse aussi et s'occupa beaucoup d'elle dans les commencements. Elle paraissait aimer beaucoup Diane. Elle lui fit mille petits cadeaux et s'en amusa comme d'une jolie poupée. Diane se laissa friser, pomponner et ne marqua aucune impatience de tout ce temps consacré à sa toilette ; mais, sans s'en rendre compte, elle éprouvait beaucoup d'ennui à s'occuper tant de sa personne. Elle étouffait ses bâillements et devenait pâle quand il lui fallait se tenir devant une glace à essayer des coiffures et des chiffons. Elle ne savait pas s'arranger elle-même au goût de sa belle-mère, et quand elle essayait de se faire plus simple et de suivre son propre goût, elle était grondée et brusquée comme si elle eût commis une faute grave. Elle eût voulu s'occuper à autre chose, apprendre n'importe quoi. Elle questionnait beaucoup, mais madame Flochardet trouvait ses questions sottes, hors de propos, et ne jugeait pas utile qu'elle eût des curiosités pour les choses sérieuses. Diane dut lui cacher qu'elle avait une grande envie d'apprendre le dessin. Madame Laure Flochardet aspirait au jour où son mari ayant fait sa fortune, il ne serait plus question de peinture à la maison et où l'on pourrait trancher de la grande dame.

Diane commença à s'ennuyer sérieusement et à regretter le couvent qu'elle n'aimait pourtant guère, mais où, du moins, on lui réglait l'emploi de ses heures. Elle redevint pâle, son pas s'alanguit et la fièvre reparut de deux jours l'un, vers le coucher du soleil, pour durer jusqu'au matin.

Alors madame Laure s'inquiéta plus que de raison et la tourmenta pour lui faire prendre une quantité de drogues, sur le conseil de toutes les belles dames qui venaient chez elle. C'était tous les jours une nouvelle invention pour guérir la fièvre, et comme on ne donnait suite à rien, rien ne réussissait. L'enfant continuait à se soumettre à tout et à vouloir rassurer ses parents en disant qu'elle n'avait rien et ne sentait aucun mal.

M. Flochardet, pour s'agiter moins, s'affectait encore plus que sa femme. Forcé de donner toutes les heures de sa journée à son travail de peintre, il restait le soir auprès du lit de sa fille et, l'entendant divaguer, il craignait qu'elle ne devînt folle.

Heureusement, il avait pour ami un bon vieux médecin qui jugea mieux les choses. Il connaissait bien madame Flochardet et observait sa manière d'agir avec l'enfant. Un jour, il dit à M. Flochardet :

— Il faut laisser cette petite tranquille, jeter au panier toutes ces fioles et toutes ces pilules, ne lui donner que ce que j'ordonnerai et ne pas contrarier ses goûts, puisqu'elle n'en a que de raisonnables. Ne voyez-vous pas que l'oisiveté à laquelle on la condamne, par crainte de la rendre malade, la rend plus malade encore ? Elle s'ennuie ; laissez-la se chercher une occupation, et quand elle aura montré une préférence marquée pour une étude, aidez-la à s'y livrer. Surtout ne faites pas d'elle un petit mannequin à essayer des costumes, c'est une fatigue pour elle et non un plaisir. Laissez sa taille et ses cheveux libres, et, si madame Flochardet souffre de la voir ainsi, tâchez qu'elle l'oublie et s'occupe d'autre chose.

M. Flochardet comprit et, sachant qu'on persuadait difficilement madame Laure, il fit en sorte de la distraire. Il la rassura en lui apprenant que l'enfant n'avait rien de grave et il l'engagea à reprendre sa vie de visites, de promenades, de dîners en ville et de soirées de bal ou de conversation. Il n'eut pas de peine à l'y décider. Diane devint libre, et sa nourrice, chargée de la servir et de l'accompagner, ne la contraria pas plus que par le passé.

Alors Diane redemanda et obtint de se glisser dans l'atelier de son père quand il travaillait, et elle y reparut, toujours sage dans son petit coin, regardant tantôt la toile, tantôt le modèle, mais n'essayant plus de faire des barbouillages et ne donnant plus à rire à ses dépens. Elle savait maintenant que la peinture est un art, et qu'il faut l'avoir étudié pour le connaître.

Son désir de l'apprendre restait si vif que c'était presque une idée fixe ; mais elle n'en parlait plus, craignant que son père ne lui dît comme autrefois qu'elle n'était pas douée pour cela, et que sa belle-mère ne s'opposât à son désir.

M. Flochardet ne le contrariait pourtant pas. M. Féron, le vieux médecin, lui ayant conseillé d'observer ses tendances, il attendait qu'elle montrât son ancien goût pour le portrait, et il avait mis à sa disposition une provision de crayons et de papier. Diane n'en profitait pas, elle regardait les œuvres et les cartons de son père, et elle rêvait.

Elle pensait souvent au château de Pictordu et, comme on parlait quelquefois devant elle de cette ruine où M. Flochardet avait été forcé de passer une nuit, elle n'osait plus croire à tout ce que la fée au voile lui avait montré. Elle regrettait de l'avoir vu d'une manière un peu confuse, à travers la fièvre peut-être, et elle eût souhaité, si c'était un rêve, de le recommencer. Mais on ne rêve pas ce que l'on veut rêver, et la muse des bains de Diane ne revenait pas l'appeler.

Un jour qu'elle rangeait ses jouets, car elle avait beaucoup d'ordre, elle retrouva les petits cailloux et les fragments de mosaïque du parterre de Pictordu. Il y avait parmi les cailloux une boule de sable durci, de la grosseur d'une noix, qu'elle avait ramassée pour en faire une bille. Elle essaya, pour la première fois, de s'en servir ; mais, en la faisant sauter, elle vit le sable se détacher et découvrir une vraie bille en marbre. Seulement cette bille n'était plus parfaitement ronde : elle était plutôt ovale et il s'y trouvait des creux et des reliefs. Diane l'examina et reconnut que c'était une petite tête, la tête d'une statuette d'enfant, et cette figure lui parut si jolie, qu'elle ne se lassait pas de la regarder, en la retournant, en la mettant tantôt au soleil, tantôt dans une demi-ombre, s'imaginant y découvrir toujours une nouvelle beauté.

Elle était absorbée ainsi depuis une heure, lorsque le docteur qui était entré tout doucement et qui l'observait, lui dit d'une voix amicale :

— Que regardes-tu donc avec tant de plaisir, ma petite Diane ?

— Je ne sais pas, répondit-elle en rougissant ; regardez vous-même, mon bon ami ; moi je m'imagine que c'est la figure d'un petit Cupidon.

— Ce serait plutôt celle d'un jeune Bacchus, car il y a des pampres dans ses cheveux. Où donc as-tu trouvé cela ?

— Dans du sable et des cailloux, à ce vieux château dont mon papa vous parlait encore hier.

— Fais-moi donc voir ! reprit le docteur en mettant ses lunettes. Eh bien, c'est très joli, cela ! c'est un antique.

— C'est-à-dire une chose qui n'est pas à la mode d'à présent ? Maman Laure dit que tout ce qui est antique est très vilain.

— Moi, je pense le contraire, c'est le nouveau que je trouve laid.

M. Flochardet entra en ce moment. Il avait fini une séance de portrait, et, avant d'en commencer une autre, il venait serrer la main du docteur et lui demander comment il trouvait la petite. — Je la trouve bien, répondit M. Féron, et plus raisonnable que vous, car elle admire ce petit fragment de la statuaire antique et je gage que vous ne l'admirez pas.

Après s'être fait expliquer comment cet objet se trouvait dans les mains de Diane, Flochardet le regarda avec indifférence et dit en le rejetant sur la table :

— Ce n'est pas plus mal fait qu'autre chose de ce temps-là, si toutefois c'est un antique. Je n'en saurais juger comme vous qui avez la manie de ces restes et qui croyez pouvoir prononcer. Je ne nie pas votre savoir et votre érudition, cher docteur ; mais de pareils débris sont si usés, si informes, que vous les voyez souvent avec les yeux de la foi. J'avoue qu'il me serait impossible d'en faire autant, et que tous ces prétendus chefs-d'œuvre de l'art grec ou romain me font l'effet des poupées de Diane quand elles ont le nez cassé et les joues éraillées.

— Profane, dit le docteur en colère, vous osez comparer !... Ah ! tenez, vous êtes un artiste frivole ! Vous ne vous connaissez qu'en dentelles et en manchons, vous ne vous doutez pas de ce que c'est que la vie !

Flochardet était habitué aux vivacités du docteur. Il les accueillit en riant, et son domestique étant venu l'avertir que la voiture de sa cliente, la marquise de Sept-Pointes, entrait dans la cour, il se retira en riant toujours.

— Vous êtes méchant aujourd'hui, mon bon ami, dit Diane scandalisée au docteur ; mon papa est un grand artiste, tout le monde le dit.

— C'est pourquoi il ne devrait pas dire de sottises, répliqua le docteur, toujours très animé.

— Si ce qu'il dit n'est pas vrai, il le dit pour s'amuser.

— Apparemment ! Laissons cela, mais toi... écoute : tu trouves cette petite tête jolie, n'est-ce pas ?

— Oh ! bien jolie, vrai, je l'aime !

— Sais-tu pourquoi ?

— Non.

— Essaie de dire pourquoi.

— Elle rit, elle est gaie, elle est jeune, c'est comme un vrai enfant.

— Et pourtant c'est l'image d'un dieu ?

— Vous l'avez dit, le dieu des vendanges.

— Ce n'est donc pas un enfant comme les autres ?

Celui qui l'a faite a pensé que cet enfant-là devait être plus fort et plus fier que le premier venu. Regarde l'attache du cou, la force et l'élégance de la nuque, la chevelure un peu sauvage sur un front bas et large, noble malgré cela. Mais je t'en dis trop, tu ne comprends pas encore.

— Dites toujours, mon bon ami. Je comprendrai peut-être !

— Ça ne te fatigue pas de faire attention ?

— Au contraire, ça me repose.

— Eh bien, sache que les artistes grecs avaient le sentiment du grand et qu'ils le mettaient dans les plus petites choses. Tu ne te souviens pas d'avoir vu ma petite collection de statuettes ?

— Si fait, je m'en souviens très bien, ainsi que des collections plus belles qui sont dans la ville ; mais personne ne m'a jamais rien expliqué.

— Tu viendras passer une matinée chez moi et je te ferai comprendre comment, avec les moyens les plus simples et des formes à peine indiquées, ces artistes-là faisaient toujours grand et beau. Tu verras aussi des bustes romains d'une époque plus récente. Grands artistes aussi, les Romains ! moins nobles, moins purs que les Grecs, mais toujours vrais, et sentant la vie dans ce qui est vraiment la vie.

— Je ne comprends plus ! dit Diane en

soupirant, et je voudrais tant savoir ce que vous appelez la vie !

— C'est très facile. Ta robe, ton soulier, ton peigne, sont-ce là des choses vivantes ?

— Oh ! mais non !

— Mon regard, mon sourire, cette grosse ride à mon front, sont-ce des choses mortes ?

— Certainement non !

— Eh bien, quand tu vois un personnage de tableau ou de statue dont la figure ne vit pas, sois sûre que ce n'est guère mieux que la figure de ta poupée, et que tous les détails de son habillement ou de ses bijoux ne font pas qu'elle vive. Tu ne tiens là qu'une tête sans corps et très usée par le frottement. Elle vit pourtant, parce que celui qui l'a taillée dans ce petit morceau de marbre a eu la volonté et la science de la faire vivre : comprends-tu à présent ?

— Je crois que oui, un peu ; mais dites encore.

— Non, c'est assez pour aujourd'hui. Nous parlerons de cela une autre fois ; ne perds pas…

— Ma petite tête ? Oh ! il n'y a pas de danger. Je l'aime trop. Elle me vient de quelqu'un que je n'oublierai jamais.

— Qui donc ?

— La dame qui… la dame que… mais je ne peux pas vous dire cela, moi !

— Tu as des secrets ?

— Hé bien, oui. Je ne veux pas dire !

— À moi, ton vieux ami ?

— Vous vous moquerez de moi ?

— Je te jure que non.

— Mais vous direz que c'était la fièvre.

— Quand je le dirais ?

— Cela me ferait de la peine.

— Alors, je ne le dirai pas. Raconte.

Diane raconta toutes ses visions et tous ses enchantements au château de Pictordu, et le docteur l'écouta sans rire, sans avoir l'air de douter d'elle. Il l'aida même par ses questions à se bien rappeler et à se faire très bien comprendre. C'était pour lui une étude intéressante des phénomènes de la fièvre dans l'imagination d'une enfant très disposée à la poésie, par conséquent au merveilleux. Il ne jugea pas devoir la détromper. Il la laissa, comme il la trouvait, dans le doute. Il ne voulut pas lui affirmer que ce qu'elle avait vu et entendu était certain et réel. Il eut l'air de ne pas trop savoir non plus si elle avait rêvé ou non, et l'incertitude où il la laissa fut une joie pour elle. En la quittant, il se disait à lui-même : « On ne sait pas assez le tort que l'on fait aux enfants en se moquant de leurs inclinations, et le mal qu'on peut leur faire en refoulant leurs facultés. Cette petite est née artiste, et son père ne s'en doute pas. Dieu la préserve de ses leçons ! Il fausserait son sentiment et la dégoûterait de l'art. »

Heureusement pour Diane, son excellent père ne s'était pas mis en tête de la faire travailler, et, la voyant délicate, il était résolu à ne la contrarier en rien. Elle alla passer plus d'une matinée chez le docteur, elle vit et revit ses antiques, ses bustes, ses statuettes, ses médailles, ses camées et ses gravures. Il était amateur sérieux et bon critique, bien qu'il n'eût jamais essayé de toucher un crayon ; il faisait comprendre, et c'est tout ce qu'il fallait pour que Diane eût le désir de copier ce qu'elle voyait. Elle dessina donc beaucoup chez lui pendant qu'il faisait ses visites.

Je vous tromperais, mes enfants, si je vous disais qu'elle dessinait bien. Elle était trop jeune et trop livrée à elle-même ; mais elle avait déjà acquis une grande chose : c'est qu'elle comprenait que ses dessins ne valaient rien. Autrefois, elle se contentait de tout ce qui venait au bout de son crayon. Elle voyait, avec son imagination et avec son ignorance, de charmants personnages à la place des magots qu'elle venait de tracer, et quand elle avait fait une boule avec quatre jambages au-dessous, elle se persuadait avoir fait un mouton ou un cheval. Ces faciles illusions-là étaient dissipées, et, chaque fois qu'elle avait fait une ébauche, le docteur avait beau lui dire : « eh, eh ! ce n'est pas mal ! », elle se disait à elle-même : « non, c'est mal, je vois bien que c'est mal ».

Elle crut quelque temps que la fièvre l'empêchait de bien voir, et elle priait toujours son bon ami de la guérir. Il y réussit peu à peu, et alors, se sentant plus forte et plus gaie, elle ne se trouva plus si pressée de savoir dessiner. Elle oublia ses crayons et passa son temps à se promener dans le jardin ou dans la campagne avec sa nourrice, s'amusant de tout, prenant des forces et dormant très bien la nuit.

V. LA FIGURE PERDUE

On quitta la ville au mois de mai et on alla à la campagne. Diane s'y plaisait beaucoup.

Un jour qu'elle cueillait des violettes à la lisière d'un petit bois qui était entre le jardin de son père et celui d'une dame du voisinage, elle entendit qu'on parlait tout près d'elle, et, en regardant à travers les branches, elle vit sa belle-mère qui était en visite chez cette dame et qui avait une jolie toilette de mousseline sur un habillement de taffetas rose. La voisine était mise plus raisonnablement pour se promener dans le bois, où madame Laure l'avait trouvée. Toutes deux étaient assises sur un banc.

Diane alla pour les saluer, puis elle s'arrêta intimidée. Elle n'était pas sauvage, mais madame Laure était devenue si froide et si indifférente pour elle, qu'elle ne savait plus si elle lui faisait plaisir en l'abordant. Elle s'éloigna donc, incertaine et attristée, et se remit à cueillir des violettes, ne voulant pas s'enfuir et attendant qu'on l'appelât.

Comme elle était penchée derrière les buissons, ces dames ne la virent plus et Diane entendit que madame Laure disait à son amie : — Je croyais qu'elle viendrait vous faire sa révérence, mais elle s'est cachée pour s'en dispenser. La pauvre enfant est si mal élevée depuis qu'on m'a défendu de m'occuper d'elle ! Que voulez-vous, ma chère ? son père est faible, et gouverné par ce docteur Féron, qui est un ours baroque. Il a décrété que la petite devait ne recevoir aucune éducation. Aussi vous voyez le beau résultat !

— C'est dommage, dit l'autre dame ; elle est jolie et elle a l'air doux. Je la vois souvent autour de mon parterre, elle ne touche à rien et me salue poliment quand elle m'aperçoit. Si elle était un peu mieux arrangée, elle serait tout à fait bien.

— Ah bien oui, arrangée ! Ma chère, figurez-vous que le vieux docteur a défendu qu'elle portât un corset ! Pas une baleine sur le corps ! Comment voulez-vous qu'elle ne devienne pas bossue ?

— Elle n'est pas bossue. Au contraire elle est bien faite ; mais on pourrait l'habiller sans la serrer et ne pas lui refuser un peu de garniture à ses jupes.

— Bah ! c'est elle qui n'en veut pas. Cette enfant-là déteste la toilette. Elle tient de sa mère, qui était une personne du commun et plus occu-pée de surveiller sa cuisine que d'avoir bon air et bon ton.

— Je l'ai connue, sa mère, reprit la voisine. C'était une femme de bien, une personne raison-nable et très distinguée, je vous assure.

— Ah ? C'est possible ! Moi, je parle par ouï-dire. M. Flochardet a son portrait caché quelque part. Il ne me l'a jamais montré. Il ne veut pas que je lui parle d'elle, et après tout, ça m'est égal ! Qu'on élève l'enfant comme on voudra ! Du moment que cela ne me regarde pas ! Je l'aurais pourtant aimée, si l'on m'eût chargée de la rendre aimable… Mais…

— Mais elle est donc maussade et désagréable ?

— Non, ma chère, elle est pis que cela ; elle est niaise, distraite, et je crois un peu idiote.

— Pauvre petite ! Est-ce qu'on ne lui apprend rien ?

— Rien du tout ! Elle ne sait même pas s'attacher un ruban ni mettre une fleur dans ses cheveux.

— J'ai cru qu'elle aimait à dessiner ?

— Oui, elle aime ça, mais son père dit qu'elle n'a pas de goût et ne comprend rien à la peinture ; or, comme elle ne comprend rien à tout le reste...

Diane n'en entendit pas davantage. Elle avait mis ses mains sur ses oreilles et s'en allait au fond du bois cacher ses larmes. Elle éprouvait un chagrin très grand sans trop savoir pourquoi. Était-ce l'humiliation d'être trouvée si sotte, le découragement d'être jugée incapable par son père ? N'était-ce pas plutôt la douleur de découvrir qu'elle n'était point aimée ?

« Mon papa m'aime, pourtant, se disait-elle ; j'en suis sûre. S'il me trouve bête et maladroite... C'est possible, mais il ne m'en aime pas moins. C'est maman Laure qui me méprise et qui ne se soucie pas de moi. »

Jusque-là, Diane avait fait de son mieux pour aimer madame Laure. En ce moment, elle sentit qu'elle n'était rien pour elle, et, pour la première fois, elle pensa à sa mère et fit de grands efforts pour se la rappeler ; mais c'était bien impossible ; elle était encore au berceau quand elle l'avait perdue et ne s'était aperçue de rien. Elle se rappelait très vaguement le mariage de son père avec madame Laure ; seulement elle avait remarqué la tristesse de sa nourrice, ce jour-là ; elle se souvenait de lui avoir entendu dire plusieurs fois en la regardant :

— Pauvre petite ! voilà qui est malheureux pour elle.

Madame Laure avait embrassé Diane et l'avait bourrée de bonbons. L'enfant n'avait plus fait attention au chagrin de sa nourrice. Elle commença à le comprendre en entendant les aigres paroles de sa belle-mère sur son compte et sur celui de cette défunte mère dont personne ne lui avait jamais rien dit, et à laquelle elle se mit à songer avec une ardeur et une douleur toutes nouvelles dans sa vie. C'était comme une découverte qu'elle faisait en elle-même d'un sentiment endormi au fond de son cœur. Elle se laissa tomber sur l'herbe en répétant d'une voix brisée par les sanglots :

— Maman ! maman !

Alors elle s'entendit appeler à travers les branches des lilas en fleur, par une voix douce qui disait :

— Diane, ma chère Diane, mon enfant, où es-tu ?

— Là, là, je suis là ! s'écria Diane, en courant tout affolée.

La voix l'appela encore, tantôt d'un côté, tantôt de l'autre. Elle s'élançait pour la rejoindre, et elle arriva au bord d'une grande rivière sans savoir dans quel pays elle se trouvait. Elle entra dans l'eau et se vit assise sur un dauphin qui avait des yeux d'argent et des nageoires d'or. Elle ne pensa plus à sa mère. Elle voyait des sirènes qui cueillaient des fleurs au beau milieu de la rivière. Tout à coup elle se trouva sur le haut d'une montagne, où une grande statue de neige lui dit :

— Je suis ta mère, viens m'embrasser !

Et elle ne put bouger, car elle était devenue statue de neige aussi, et elle se cassa en deux en roulant au fond d'un ravin, où elle revit le château de Pictordu et la Dame voilée, qui lui faisait signe de la suivre. Elle essaya de crier : « Fais-moi voir ma mère ! » mais la Dame voilée devint un nuage, et Diane s'éveilla en sentant un baiser sur son front.

C'était sa nourrice, la bonne Geoffrette, qui la souleva en lui disant : — Je vous cherche depuis un bon quart d'heure. Il ne faut pas dormir comme ça sur l'herbe, la terre est encore fraîche. Voilà votre goûter, que j'avais été chercher. Levez-vous donc, vous attraperez du mal ! Venez par là, manger au soleil.

Diane n'avait pas faim. Elle était toute bouleversée par son rêve, qu'elle confondait avec ce qui s'était passé auparavant. Elle fut quelques moments sans se ravoir, et puis, tout à coup, elle dit à Geoffrette :

— Nounou, où est maman ? Pas ma maman d'à présent, non, non ! pas madame Laure ; ma vraie maman, celle d'auparavant !

— Ah ! mon Dieu ! dit Geoffrette toute surprise, elle est dans le ciel, vous le savez bien !

— Oui, tu m'as déjà dit comme ça ! Mais où est-ce, le ciel ? Par où y va-t-on ?

— Par la raison, ma fille, par la bonté et par la patience, répondit Geoffrette, qui n'était point sotte, quoiqu'elle parlât peu et jamais sans nécessité.

Diane baissa la tête et réfléchit.

— Je sais, dit-elle, que je suis une enfant et que je n'ai pas de raison.

— Si fait ! vous en avez assez pour votre âge !

— Mais, à mon âge, on est sotte, n'est-ce pas, et on ennuie les autres ?

— Pourquoi dites-vous cela ? Est-ce que je m'ennuie avec vous ? Votre père vous chérit et le docteur vous aime.

— Mais madame Laure ?

Et, comme Geoffrette, qui n'aimait pas à mentir, ne répondait rien, Diane ajouta :

— Oh ! je sais très bien qu'elle ne m'aime pas. Dis-moi si ma mère m'aimait.

— Sans doute, elle vous adorait, quoique vous fussiez un tout petit enfant.

— Et, à présent, si elle me voyait, m'aimerait-elle, moins ou plus ?

— Les mères aiment leurs enfants toujours de même, à tous les âges.

— Alors c'est un malheur pour moi de n'avoir plus ma mère ?

— C'est un malheur qu'il faut réparer vous-même en étant toujours aussi bonne et aussi sage que si elle vous voyait.

— Mais elle ne me voit pas ?

— Ah ! je ne dis pas ça ! Je n'en sais rien, mais je ne peux pas dire qu'elle ne vous voit pas.

C'était répondre comme il convenait à Diane, qui avait de l'imagination et du cœur. Elle embrassa sa nourrice et lui fit mille questions sur sa mère.

— Mon enfant, dit Geoffrette, vous m'en demandez trop. J'ai connu votre maman très peu de temps. Elle était pour moi ce qu'il y avait de plus beau et de meilleur au monde. Je l'ai beaucoup pleurée et je la pleure encore quand j'y songe. Ne m'en parlez donc pas trop si vous ne voulez pas me faire de la peine.

Elle répondait comme cela pour calmer Diane qu'elle voyait très agitée. Elle réussit à la distraire, mais, le soir, l'enfant eut encore un peu de fièvre et toute la nuit elle fit des rêves embrouillés et fatigants. Le matin, elle se calma, ouvrit les yeux et vit que le jour commençait à poindre. À travers son rideau bleu, sa chambre paraissait toute bleue et elle n'y distinguait rien. Peu à peu, elle vit plus clairement une personne debout au pied de son lit.

— Est-ce toi, Nounou ? lui dit-elle ; mais la personne ne répondit rien et Diane entendit Geoffrette qui toussait un peu dans son lit. Quelle était donc cette personne qui paraissait veiller Diane ?

— Est-ce vous, maman Laure ? dit-elle, oubliant ses dures paroles et ne demandant pas mieux que de l'aimer encore.

La personne ne répondit pas davantage et

Diane s'aperçut qu'elle avait un voile sur la figure. Ah! dit-elle avec joie, je vous reconnais! Vous êtes ma bonne fée de là-bas! Vous voilà donc enfin! Venez-vous pour être ma maman, vous?

— Oui, répondit la Dame au voile, avec sa belle voix qui résonnait comme du cristal.

— Et vous m'aimerez?

— Oui, si tu m'aimes.

— Oh! je veux bien vous aimer!

— Veux-tu venir te promener avec moi?

— Certainement, tout de suite; mais je suis faible!

— Je te porterai.

— Oui, oui! Allons!

— Qu'est-ce que tu veux voir?

— Ma mère.

— Ta mère?... C'est moi.

— Vrai? Oh? alors ôtez votre voile, que je voie votre figure.

— Tu sais bien que je n'en ai plus!

— Hélas! je ne la verrai donc jamais?

— Cela dépend de toi, tu la verras le jour où tu me la rendras.

— Ah! mon Dieu, qu'est-ce que cela veut dire et comment ferai-je?

— Il faudra que tu la retrouves. Viens avec moi, je t'apprendrai bien des choses.

La Dame au voile prit Diane dans ses bras et l'emporta... Je ne saurais vous dire où, Diane ne s'en est jamais souvenue. Il paraît qu'elle vit des choses bien belles, car lorsque Geoffrette vint pour la réveiller, elle la repoussa de la main et se retourna du côté de la ruelle[1] pour dormir et rêver encore, mais son rêve était changé. La Dame au voile avait pris la figure et les habits du docteur, qui lui disait : « Qu'est-ce que cela me fait que madame Laure t'aime ou ne t'aime pas ? Nous avons bien d'autres chats à fouetter que de nous occuper d'elle ! » puis Diane rêva que son lit était couvert d'images toutes plus belles les unes que les autres, et chaque fois qu'elle regardait une figure de déesse ou de muse, elle disait : « Ah ! voilà ma mère, j'en suis sûre ! » mais aussitôt la figure changeait et elle ne pouvait retrouver celle qu'elle avait cru reconnaître.

Vers neuf heures, le docteur, que Geoffrette avait averti, entra chez Diane avec son père. L'enfant était sans fièvre, l'accès était passé. On la soigna dans la journée, et la nuit suivante elle fut très calme. Deux jours après, elle était de nouveau guérie, et sur l'ordre du docteur, elle recommençait sa vie de promenade et d'insouciance.

VI. LA FIGURE CHERCHÉE

Un beau jour de cette année-là, le docteur, qui observait tout, s'aperçut d'un changement dans la famille. Madame Laure ne pouvait cacher le désir qu'elle avait de voir Diane renvoyée au couvent. Ce n'est pas qu'elle la détestât, madame Laure n'était pas méchante. Elle n'était que

---

1. Espace laissé entre le lit et le mur de la chambre.

vaine, et elle n'accusait Diane d'être sotte que parce qu'elle était sotte elle-même. Elle était blessée de ne pas avoir à la gouverner, humiliée de n'avoir pas ce jouet à sa disposition. Elle parlait sans cesse à son mari de l'inaction où vivait cette enfant. Elle eût cru l'occuper utilement en lui faisant mener la vie dissipée et parfaitement inutile qu'elle menait. Flochardet ne savait plus que penser. Il était partagé entre les tiraillements de sa femme et les avis du docteur. Il regardait sa fille avec doute, avec anxiété, se demandant si elle avait une intelligence au-dessus de son âge, comme le prétendait M. Féron, ou si elle était sauvage et inculte comme l'insinuait madame Laure ; enfin si, pour, son bien, il ne ferait pas mieux de la confier de nouveau aux soins de sa sœur, la religieuse de Mende.

De son côté, Diane, apaisée par les sages paroles de Geoffrette, par le retour à la santé et par son bon naturel sans rancune, ne paraissait pas se tourmenter des petits reproches aigres et secs que lui lançait sa belle-mère ; mais elle ne l'aimait plus et ne cherchait plus à s'en faire aimer. Cette belle dame lui était devenue indifférente. Elle songeait à tout autre chose.

Le désir de s'instruire recommençait à la tourmenter, et ce n'était pas seulement le dessin qu'elle eût voulu apprendre, c'était l'histoire dont les enseignements du docteur sur l'art lui faisaient entrevoir l'intérêt et l'importance. Elle s'inquiétait du pourquoi et du comment des choses de ce monde. C'est trop tôt, lui disait le docteur ; à ton âge on est bien heureux de ne rien comprendre à la folie humaine. Mais, comme il est impossible de faire l'historique d'un art quelconque sans toucher à celui de ses causes de décadence et de progrès, autant dire à l'histoire entière du genre humain, il se laissait entraîner à l'instruire véritablement. Elle l'écoutait avec tant d'avidité qu'il regretta de ne pouvoir s'occuper d'elle avec suite, d'autant plus que, chez elle, Diane ne recevait aucune notion sérieuse. Flochardet parlait bien de lui donner une gouvernante, mais il était facile de prévoir qu'aucune ne paraîtrait supportable à madame Laure.

Alors le docteur prit un grand parti : — Je veux, dit-il à l'artiste, que vous me donniez votre fille et sa nourrice.

— Plaisantez-vous ? s'écria Flochardet, donner ma fille ?

— Oui, me la donner sans qu'elle vous quitte, puisque nous demeurons porte à porte à la ville comme à la campagne. Elle passera les nuits chez vous si vous voulez, mais elle sera chez moi du matin jusqu'au soir, et c'est moi qui l'instruirai et la soignerai à ma manière.

— Mais vous n'aurez pas le temps ! dit Flochardet.

— J'aurai le temps ! Me voilà vieux et assez riche, j'ai le droit de me reposer et de passer ma clientèle à mon neveu qui vient d'achever ses études et qui n'est point une bête. Je l'ai élevé comme mon fils, mais j'ai toujours souhaité d'avoir une fille et de partager ma fortune entre deux enfants de sexes différents. Voyons, est-ce convenu ?

Le dernier argument du docteur était très fort. Flochardet ne se crut pas le droit de refuser un si bel avenir pour sa fille, d'autant plus qu'au train que menait madame Laure, il était à craindre que sa propre fortune ne fût ébranlée un jour ou l'autre. Déjà, pour satisfaire ses besoins de luxe, elle lui avait fait contracter des dettes qu'il n'osait point avouer. Il céda et madame Laure en fut fort aise. Elle trouva même beaucoup plus commode que la petite demeurât tout à fait avec Geoffrette chez le docteur. Flochardet céda encore et Diane fut installée dans une charmante petite chambre bien arrangée pour elle, avec Geoffrette à côté. Le docteur tint sa parole. Il quitta la partie active de son métier. Étant considéré comme un grand médecin, il ne put se refuser à donner chaque jour deux heures de consultation pendant la récréation de son élève, et Diane passait ces deux heures chez son père. Le soir, M. Marcelin, neveu et successeur de M. Féron, venait soumettre à celui-ci les cas sérieux ou intéressants et prendre son avis avec déférence. Ensuite, quand il avait le temps, il jouait et causait avec Diane qu'il traitait de petite sœur, car c'était un brave garçon que Marcelin, incapable de concevoir de la jalousie contre elle, et se trouvant assez enrichi par l'éducation, le savoir et les clients qu'il devait à son oncle. Un héritier de ce caractère... vous voyez, enfants, que le merveilleux est dans la nature, car enfin, s'il n'y en a pas beaucoup de tels, il y en a, et j'en connais.

Diane devint donc très heureuse, très studieuse et très bien portante. Elle parut avoir un peu oublié sa passion pour le dessin ; on eût dit que, malgré son jeune âge, elle avait compris que tout se tient dans l'intelligence et que, ne savoir qu'une chose, c'est ne rien savoir du tout.

Quand Diane fut devenue une grande personne de douze ans, elle était encore une charmante enfant, simple, gaie, bonne pour tout le monde, ne se faisant jamais valoir ni remarquer, et pourtant elle était très solidement instruite pour son âge, et son esprit avait des côtés sérieux et ardents qu'on ne connaissait pas. Elle faisait de la peinture très gentille dont elle avait appris un peu le procédé manuel en regardant son père travailler. Mais elle ne la montrait plus à personne, parce qu'une fois le docteur avait dit que c'était très bien et M. Flochardet avait répondu que c'était très mauvais. Diane sentait que le docteur, qui avait de bonnes idées critiques, n'entendait rien à l'exécution. Il avait développé en elle l'amour du beau, mais il ne pouvait lui donner les moyens de le saisir. Elle sentait aussi que son père avait un système tout opposé aux théories du docteur, qu'il ne jugeait jamais bien ce qui était en dehors de sa propre manière et qu'il pouvait être injuste sans le savoir.

Mais Diane pouvait-elle le savoir elle-même ? Voilà ce qu'elle se demandait avec anxiété. Que devait-elle penser du talent de son père que le docteur critiquait avec tant de justesse apparente ? Mais que devait-elle penser des critiques du docteur qui n'était pas capable de tenir un crayon et de tracer une ligne ? Ce problème la tourmentait si fort qu'elle en redevint un peu malade. Elle avait beaucoup grandi sans être trop mince et trop délicate. Le docteur la soigna sans être inquiet, mais en cherchant à deviner la cause morale qui ramenait ses petits accès de fièvre. Geoffrette lui confia que, selon elle, Diane dessinait trop. Comme elle ne voulait pas qu'on la vît travailler, elle se levait avant le jour, et la nourrice qui l'observait la voyait devenir tantôt rouge et comme folle de joie en dessinant, tantôt pâle et comme découragée, avec les yeux pleins de larmes.

Le docteur résolut de confesser sa chère fille adoptive et, bien qu'elle eût voulu se taire, elle ne put résister à ses tendres questions. — Eh bien, lui dit-elle, je l'avoue, j'ai une idée fixe. Il faut que je trouve un visage et je ne le trouve pas !

— Quel visage ? Toujours la Dame au voile ? Est-ce que cette fantaisie d'enfant est revenue à la grande fille raisonnable que voici ?

— Hélas, mon ami, cette fantaisie ne m'a jamais quittée depuis que la femme voilée m'a dit : « Je suis ta mère et tu verras ma figure quand tu me l'auras rendue. » Je n'ai pas compris tout de suite ; mais peu à peu j'ai découvert qu'il me fallait retrouver et dessiner une figure que je n'ai jamais vue, celle de ma mère, et c'est cela que je cherche. On m'a dit qu'elle était si belle ! Il me sera peut-être impossible de faire quelque chose qui en approche, à moins que je n'aie beaucoup de talent, et j'en voudrais avoir, mais cela ne vient pas. Je suis mécontente de moi, je déchire ou je barbouille tout ce que je fais. Toutes mes figures sont laides ou insignifiantes. Je regarde comment mon père s'y prend pour embellir ses modèles, car il est certain qu'il les embellit, je m'en aperçois très bien à présent et je sais que son succès vient de là. Eh bien, voyez ce qui m'arrive ! Quand je les regarde, ces modèles qui ne sont certainement pas tous beaux — il y a même des dames bien fanées et des messieurs bien laids qui viennent chez lui se faire peindre —, je trouve les plus laids moins... comment dirai-je ? plus acceptables que la figure de convention que leur donne mon père. Ils sont eux-mêmes, ces visages qui posent ; ils ont ceci ou cela d'original, et c'est justement ce que mon papa croit devoir leur ôter — et ils sont contents qu'on le leur ôte. Dans ma tête, moi, je les peins tels qu'ils sont, et je vois bien que si je savais peindre, je ferais tout le contraire de ce que fait papa. C'est là ce qui me tourmente et me chagrine, car il a certainement du talent et je n'en ai pas.

— Il a du talent et tu n'en as pas, cela est certain, répondit le docteur, mais tu en auras, tu es trop tourmentée pour qu'il ne t'en vienne pas, et quand tu en auras — je ne veux pas te dire que tu en auras plus que lui, je n'en sais rien ; mais ce sera une autre nature de talent, parce que tu vois avec d'autres yeux. Il ne peut donc rien t'apprendre ; c'est à toi de trouver seule, et il te faut du temps. Tu veux aller trop vite, voilà en quoi tu risques de ne pas avoir de talent du tout ; tu prends la fièvre et on ne fait rien qui vaille quand on ne se porte pas bien.

Quant à la figure que tu cherches, il est facile de te la faire connaître si cela doit chasser la Dame au voile qui t'obsède. Ton père possède une très bonne demi-miniature de ta mère, et très ressemblante. Il ne l'a pas faite et il ne l'aime pas, parce que c'est le contraire de sa manière. Il ne la montre à personne et prétend que ce n'est pas elle du tout. Moi je dis que c'est elle tout à fait et je puis la lui demander pour te la montrer.

En ce moment Diane ne sentit que le désir de connaître les traits de sa mère. Elle remercia vivement le docteur et accepta son offre avec une joie émue. M. Féron lui promit qu'elle aurait cette miniature le lendemain sous les yeux. Il lui fit promettre qu'elle serait calme jusque-là et qu'elle travaillerait désormais avec moins de feu et plus de patience. Il te faut dix ans encore, lui dit-il, avant de bien savoir ce que tu fais. Il te faut voir les chefs-d'œuvre des maîtres. Nous voyagerons quand tu seras en âge d'en profiter, ensuite tu pourras prendre des leçons de quelque bon peintre, car ici, sous les yeux de ton père, ce serait blâmé ; on le croit le premier du monde et lui-même serait peut-être blessé de te voir un autre professeur que lui.

— Oh ! c'est impossible, je le comprends, s'écria Diane ; je patienterai, mon bon ami, je serai raisonnable, je vous le promets.

Elle tint sa parole autant que possible. Mais, dès qu'elle fut endormie, elle revit la Dame au voile qui lui proposait une promenade au château de Pictordu. À peine y furent-elles arrivées, qu'une grande demoiselle mince et très jolie vint les prier de s'en aller au plus vite, parce que le château allait tomber. Diane reconnut que cette jeune personne n'était autre que mademoiselle Blanche de Pictordu, et, comme elle l'appelait par son nom, celle-ci lui répondit :

— Il ne vous est pas malaisé de me reconnaître, parce que vous voyez à mon cou la broche de turquoise que vous m'avez donnée. Sans cela, vous ne sauriez qui je suis, car vous n'avez point de mémoire et vous êtes trop maladroite pour avoir dessiné ma figure. Éloignez-vous d'ici. Le château bâille et se plaint. Il est las de résister aux orages et tout va s'écrouler.

Diane eut peur, mais la Dame au voile éloigna Blanche de la main, et entra dans le péristyle en faisant à Diane signe de la suivre. Diane obéit et le château s'abattit sur elles ; mais sans leur faire plus de mal que si c'eût été une petite bourrasque de neige, et le sol se trouva jonché de camées plus beaux les uns que les autres qui tombaient des nuages.

— Vite, dit la Dame voilée, cherchons ma figure ! elle doit se trouver là-dedans, c'est à toi de la reconnaître. Si tu n'en viens pas à bout, tant pis pour toi, tu ne me connaîtras jamais ! Diane chercha longtemps, ramassant des pierres gravées, les unes en creux sur pierre dure, d'autres en relief sur des coquilles. Celle-ci représentant un personnage en pied d'une élégance extrême, celle-là un profil charmant ou sévère, quelques-unes grimaçantes comme des masques antiques, la plupart d'une expression austère ou mélancolique, et toutes d'un travail exquis qu'elle ne pouvait se défendre d'admirer. Mais la fée la pressait.

— Vite donc, disait-elle, ne t'amuse pas à regarder tout ce monde-là, c'est moi, moi seule qu'il faut trouver.

Alors Diane trouva sous sa main une cornaline transparente sur le fond de laquelle se découpait en blanc mat un profil d'une beauté idéale, coiffé de cheveux rejetés en arrière avec un ruban et une étoile au front. D'abord cette petite tête lui parut de la grandeur d'un chaton de bague ; mais, à mesure qu'elle la regardait, elle augmentait et elle arriva à remplir tout le creux de sa main. « Enfin ! s'écria la fée, me voilà ! C'est bien moi, ta muse, ta mère, et tu vas voir que tu ne t'es pas trompée ! » Elle se mit à dénouer son voile attaché par-derrière — mais Diane ne put voir sa figure, car la vision s'évanouit, et elle s'éveilla désespérée. Pourtant la fiction avait été si vive et si frappante, qu'elle ne put retrouver ses esprits tout de suite et qu'elle serra la main, croyant y sentir le précieux camée, qui, du moins, lui conserverait l'image précieuse si ardemment cherchée. Hélas, cette illusion ne dura qu'un instant. Elle eut beau serrer sa main et l'ouvrir ensuite, il n'y avait rien dedans, absolument rien.

Quand elle fut levée, le docteur entra chez elle portant une boîte en maroquin à agrafes d'or qu'il allait ouvrir, croyant lui causer une douce joie, mais elle s'écria en le repoussant : — Non, non, mon bon ami ! Je ne dois pas la voir encore ! Elle ne veut pas. Il faut que je la trouve toute seule, sinon elle m'abandonnera pour jamais !

— Comme tu voudras, répondit le docteur ; tu as des idées à toi que je ne comprends pas toujours, mais que je ne veux pas contrarier. Je te laisse ce médaillon, il est à toi. Ton père te le donne, tu le regarderas quand la fée qui te parle en rêve t'en donnera la permission, ou quand tu ne croiras plus aux fées, ce qui arrivera bientôt, car te voici dans l'âge où on distingue le rêve de la réalité, et je ne suis pas inquiet de ta raison.

Diane remercia M. Féron de ses bonnes paroles et du beau cadeau qu'il avait obtenu pour elle. Elle baisa le médaillon, et, sans l'ouvrir, le serra précieusement dans son petit secrétaire, après s'être juré à elle-même qu'elle attendrait la permission de la muse mystérieuse — et elle se tint parole. Elle résista au désir de connaître cette figure chérie et elle se remit à la chercher au bout de son crayon. Mais elle tint aussi parole à son bon ami ; elle travailla avec plus de patience, ne s'obstinant plus à réussir tout de suite, et s'attachant à copier des études, sans espérer d'arriver à créer quelque chose de beau du jour au lendemain.

Une idée étrange qui l'aida à être patiente, c'est qu'elle croyait se rappeler parfaitement le beau profil qu'elle avait vu et touché dans son rêve. Il était toujours devant ses yeux, et toujours le même, toutes les fois qu'elle voulait y penser ; elle se défendait d'y penser trop longtemps et trop souvent, car alors il lui semblait le voir trembloter et menacer de disparaître.

Elle continuait à s'instruire et à être très heureuse, lorsqu'un jour — elle avait alors environ quinze ans —, elle trouva son père triste et changé.

— Es-tu malade, mon père chéri ? lui dit-elle en l'embrassant : tu n'as pas ta figure des autres jours.

— Bah ! répondit Flochardet un peu brusquement, est-ce que tu connais quelque chose aux figures, toi ?

— J'essaye, mon papa ; je fais ce que je peux, reprit Diane, qui voyait dans les paroles de son père une moquerie de sa passion malheureuse pour l'art.

— Tu fais ce que tu peux ! dit alors M. Flochardet en l'examinant avec tristesse. Pourquoi t'es-tu fourré dans la tête cette folle idée d'être artiste ? Tu n'as pas besoin de cela, toi qui as trouvé un second père, plus sage et plus heureux que le premier ; tu veux connaître les soucis du travail, quand tu peux t'en dispenser ! Pourquoi ça ? À quoi bon ?

— Je ne peux pas te répondre, mon cher papa. C'est malgré moi ; mais pourtant si cela te fâche que j'essaie, j'y renoncerai, quelque chagrin que cela puisse me causer.

— Non, non ! amuse-toi, fais ce que tu veux, rêve l'impossible, c'est le bonheur de la jeunesse. Plus tard, tu sauras que le talent ne sauve pas de la fatalité et du malheur !

— Mon Dieu ! tu es malheureux, toi ? s'écria

Diane en se jetant dans ses bras. Est-ce possible ? comment, pourquoi ? Il faut me le dire. Je ne veux plus être heureuse si tu n'es pas heureux.

— Ne crains rien, répondit Flochardet en l'embrassant avec tendresse, j'ai dit cela pour t'éprouver ; je n'ai aucun chagrin, je croyais que tu ne m'aimais plus parce que... parce que j'ai négligé ton éducation et l'ai confiée à un autre. Tu as peut-être pensé que j'étais un père frivole, indifférent, mené comme un enfant...

— Non, non, mon père, je t'adore, et je n'ai jamais pensé cela. Pourquoi l'aurais-je pensé, mon Dieu !

— Parce que je l'ai quelquefois pensé moi-même. Je me suis fait certains reproches ; à présent, je me console en songeant que s'il m'arrivait quelque désastre de fortune, tu ne t'en ressentirais pas.

Diane essaya de questionner encore son père ; il détourna la conversation et se remit au travail, mais il était agité, impatient, et comme dégoûté de ce qu'il faisait. Tout à coup il jeta son pinceau avec humeur en disant : — Ça ne va pas aujourd'hui, je gâterais ma toile, et pour un peu je la crèverais. Viens faire un tour de promenade avec moi !

Comme ils se préparaient à sortir, madame Laure entra, aussi pimpante qu'à l'ordinaire, mais la figure altérée aussi :

— Comment, dit-elle à son mari, vous sortez, et vous devez pourtant livrer ce portrait ce soir.

— Et quand je ne le livrerais que demain ?

répondit Flochardet sèchement : suis-je l'esclave de mes clients ?

— Non, mais… Il faut que vous touchiez ce soir le prix de cette peinture, car demain matin…

— Ah ! oui, votre tailleuse, votre marchand d'étoffes. Ils sont à bout de patience, je le sais, et si on ne les satisfait pas, ce sera un nouveau scandale.

Diane, étonnée et comme effrayée, ouvrait de grands yeux qui frappèrent madame Laure.

— Ma chère enfant, lui dit-elle, vous dérangez trop souvent votre père, vous l'empêchez de travailler, et aujourd'hui surtout, il faut qu'il travaille. Laissez-le tranquille.

— Vous me renvoyez de chez nous ? s'écria Diane stupéfaite et consternée.

— Non jamais ! dit M. Flochardet avec force en la faisant asseoir près de lui. Reste ! jamais tu ne me déranges, toi !

— Alors, c'est moi qui suis importune, répondit madame Laure, je comprends et je sais ce qui me reste à faire.

— Faites tout ce qu'il vous plaira, reprit Flochardet d'un ton glacial.

Elle sortit et Diane fondit en larmes.

— Qu'as-tu donc ? lui dit son père en essayant de sourire, qu'est-ce que cela te fait que je me querelle un peu de temps en temps avec maman Laure ? Elle n'est pas ta mère et tu ne l'aimes pas follement ?

— Tu es malheureux, répondit Diane en sanglotant, mon père est malheureux et je ne le savais pas !

— Non, dit-il en reprenant son ton de légèreté habituel. On n'est pas malheureux parce qu'on a des contrariétés. J'en ai d'assez vives, je l'avoue, mais j'en sortirai. Je travaillerai davantage, voilà tout. Je croyais pouvoir arriver au repos, j'avais gagné une jolie petite fortune, environ deux cent mille francs. En province, c'est une douce aisance ; mais il faut bien te le dire, car tu l'apprendrais un jour ou l'autre, nous avons trop mené grand train ; j'ai eu l'imprudence de faire bâtir, les devis ont été terriblement dépassés, bref, il faut revendre et à perte, car les créanciers sont pressés. Tu ne t'étonneras donc pas d'entendre dire que je suis ruiné. Ne t'en tourmente pas trop, on exagère toujours. Je vendrai ce que j'ai, et mes dettes seront payées, mon honneur sera sauf, tu n'auras pas à rougir de ton père, sois tranquille ! Je réparerai tout, d'ailleurs. Je suis encore jeune et fort, je me ferai payer un peu plus cher, il faudra bien que la clientèle y consente. Avec le temps, j'espère bien encore amasser de quoi te doter honnête- ment si tu n'es pas trop pressée de te marier, auquel cas le docteur fera l'avance.

— Ah ! ne parlons pas de moi, s'écria Diane, je n'ai jamais pensé au mariage et je ne m'occupe pas de ce qui me concerne dans l'avenir. Parlons de toi seul ; est-ce que cette jolie maison de ville que tu aimes tant, que tu as si bien arrangée, où tu es si bien installé, va être vendue ? Non, c'est impossible, où travailleras-tu ? Et ta maison de campagne… Où demeureras-tu donc ?

Flochardet, voyant que Diane s'affectait pour

lui plus qu'il n'eût voulu, s'efforça de la rassurer en lui disant que peut-être obtiendrait-il de nouveaux délais. Mais elle s'inquiétait de l'excès de travail qu'il allait s'imposer. Elle craignait qu'il ne tombât malade. Elle feignit de se tranquilliser, mais ce fut pour lui faire plaisir, et elle rentra tout abattue et passa la soirée à pleurer en dedans. Elle n'osait pas dire au docteur combien elle avait de chagrin, elle craignait de lui entendre blâmer et critiquer son père. Elle joua aux échecs avec son vieux ami et se retira dans sa chambre pour pleurer en liberté.

Elle dormit peu et ne rêva point. Le matin, elle se remit au travail comme les autres jours, cherchant à se distraire, mais revenant toujours à cette pensée cruelle que madame Laure ferait mourir son père à force de travail, et que si sa pauvre mère, à elle, eût vécu, Flochardet eût toujours été sage et heureux.

Alors elle pleurait sa mère dans son cœur, non plus comme la première fois, alors qu'en la regrettant elle n'avait songé qu'à elle-même ; elle la regrettait maintenant pour le bonheur qu'elle eût pu donner à son père et qu'elle avait emporté avec elle.

Et elle dessinait machinalement sans songer à l'occupation de ses mains, elle appelait sa mère du fond de son âme, elle lui disait : « Où es-tu ? Vois-tu ce qui se passe ? Ne peux-tu rien me dire de ce qu'il faudrait faire pour sauver et consoler celui qu'une autre accable et désole ? »

Tout à coup elle sentit comme un souffle chaud dans ses cheveux et une voix faible

comme la brise du matin murmura à son oreille :
« Je suis là, tu m'as trouvée. »

Diane tressaillit et se retourna ; il n'y avait personne derrière elle. Il n'y avait d'autre mouvement dans sa chambre que l'ombre des feuilles des tilleuls agitées par le vent, sur le plancher de sapin blanc. Elle regarda son papier, une silhouette très fine s'y dessinait, c'était elle qui l'avait tracée ; elle l'indiqua davantage et modela le visage, toujours sans y attacher d'importance. Puis elle massa la chevelure de cette tête d'étude, y dessina une bandelette et une étoile en souvenir du camée splendide dont elle avait rêvé et la regarda avec indifférence, pendant que Geoffrette qui venait d'entrer trottait par la chambre pour ranger quelques objets.

— Eh bien, mon enfant, dit la bonne femme en s'approchant, êtes-vous contente de votre ouvrage, ce matin ?

— Pas plus que les autres jours, ma Geoffrette, je ne sais même pas trop ce que je fais… mais qu'est-ce que tu as, toi ? te voilà pâle avec des larmes dans les yeux ?

— Ah ! seigneur Dieu ! s'écria Geoffrette, comment est-ce possible ? ce n'est pas vous qui avez fait cette figure-là ? Vous avez donc regardé le portrait ? vous l'avez donc copié ?

— Quel portrait ? je n'ai rien copié du tout.

— Alors… alors… c'est une vision, un miracle ? Monsieur le docteur, venez voir, venez voir cela ! qu'est-ce que vous en dites ?

— Quoi, qu'y a-t-il ? dit le docteur qui venait

chercher Diane pour déjeuner. Pourquoi Geoffrette crie-t-elle au miracle ?

Et, regardant l'étude de Diane, il ajouta :
— Elle a copié le médaillon ! Mais c'est bien,
cela, ma fille ; sais-tu que c'est très bien ? C'est
même étonnant, et la ressemblance est frappante. Pauvre jeune femme ! Je crois la voir.
Allons, ma fille, courage ! Tu feras de meilleurs
portraits que ton père, celui-là est beau et il est
vivant.

Diane, interdite, regardait son étude et y
retrouvait le souvenir fidèle du camée de son
rêve, le type qu'elle avait gardé dans sa pensée ;
mais c'était l'ouvrage de son imagination, et sans
doute aussi la ressemblance que lui trouvait
Geoffrette et le docteur était une affaire d'imagination. Elle ne voulut pas leur dire qu'elle n'avait
jamais ouvert le médaillon : elle eût craint qu'ils
ne le lui fissent ouvrir, et elle ne se jugeait pas
encore digne de cette récompense.

Pendant le déjeuner, elle demanda pourtant à
son bon ami s'il était bien sûr que le portrait de
sa mère fût ressemblant.

— Comment l'aurais-je reconnu, dit-il, s'il ne
l'était pas ? Tu sais bien que je ne veux pas mettre
de complaisance avec toi.

— Geoffrette, ajouta-t-il, allez me chercher ce
dessin. Je veux le voir encore.

Geoffrette obéit, et le docteur le regarda
encore attentivement et à plusieurs reprises,
tout en savourant son café. Il ne disait plus rien,
il paraissait absorbé, et Diane se demandait avec
angoisse s'il ne revenait pas sur sa première

impression. En ce moment, on annonça M. Flochardet, qui venait quelquefois prendre le café avec le docteur.

— Que regardez-vous donc là ? dit-il à M. Féron, quand il eut embrassé sa fille.

— Regardez vous-même, répondit le docteur.

M. Flochardet se pencha sur le dessin et pâlit.

— C'est elle, dit-il avec émotion. Oui, c'est bien cette chère et digne créature à laquelle, sans le dire à personne, je pense sans cesse, et à présent plus que jamais ! Mais qui a fait ce portrait, docteur ? C'est une copie du médaillon que je vous ai donné pour Diane. Seulement c'est infiniment mieux senti, et mieux rendu. La ressemblance est plus noble et plus vraie. C'est très remarquable et je n'ai pas un seul élève capable d'en faire autant. Dites ! dites donc qui a fait cela ?

— C'est... c'est, dit le docteur avec une hésitation maligne, un petit élève de... de moi, ne vous en déplaise !

Flochardet regarda sa fille qui s'était tournée vers la fenêtre pour cacher son émotion, et regardant aussi le docteur d'une manière qui équivalait à un point d'interrogation, il comprit et reporta ses yeux sur le dessin avec une surprise extrême, cherchant peut-être à y critiquer quelque chose, mais ne trouvant rien à reprendre, car il était dans une de ces dispositions d'esprit d'admettre que dans les choses les plus sérieuses on a pu se tromper.

Diane n'osait pas se retourner, elle craignait de rêver, elle se penchait sur la fenêtre pour cacher son trouble, sans s'occuper du soleil qui frappait vivement sur sa tête et qui lui enfonçait, comme des aiguilles rouges dans les yeux, ses rayons de rubis. Dans cet éblouissement, elle vit une grande figure blanche, d'une merveilleuse beauté, dont la robe verdâtre brillait comme une poussière d'émeraude. C'était la muse de ses rêves, c'était sa bonne fée, la Dame au voile ; mais elle n'avait plus ce voile sur la figure, il flottait autour d'elle comme un nimbe d'or, et son beau visage, qui était celui du camée vu en songe, était exactement celui que Diane avait dessiné, celui que Flochardet contemplait sur le papier avec une admiration mêlée d'un certain effroi.

Diane étendit volontairement les bras vers cette figure rayonnante qui lui souriait et qui lui dit en se dissipant : « Tu me reverras ! »

Diane, oppressée et ravie, tomba sur une chaise dans l'embrasure de la fenêtre en étouffant un cri de joie. Flochardet et le docteur s'élancèrent vers elle pensant qu'elle se trouvait mal ; mais elle les rassura et, sans leur dire la vision qu'elle venait d'avoir, elle demanda à son père s'il était vraiment un peu content de son ouvrage.

— Je n'en suis pas seulement content, répondit-il ; j'en suis ravi et bouleversé. Je te fais réparation, mon enfant ; tu as le feu sacré, et avec cela une connaissance du dessin très au-dessus de ton âge. Continue sans te fatiguer, travaille, espère, doute souvent de toi-même, cela est fort bon, mais moi, je n'en doute plus et j'en suis bien heureux !

Ils s'embrassèrent en pleurant. Puis, Flochardet pria sa fille de le laisser parler affaires avec le docteur, et elle se retira dans sa chambre où elle se trouva seule, Geoffrette ayant été déjeuner. Alors Diane courut à son secrétaire et y prit la boîte de maroquin qu'elle avait liée d'un ruban de satin noir, pour n'avoir pas la tentation de l'ouvrir trop tôt. Elle l'ouvrit enfin, se mit à genoux sur un coussin et baisa le médaillon avant de le regarder ; puis, elle ferma les yeux pour revoir dans sa pensée la figure idéale qui lui avait promis de revenir. Elle la revit bien nette, et, sûre de son consentement, elle regarda enfin le portrait. C'était bien la même figure qu'elle avait dessinée ; c'était la muse, c'était le camée, c'était le rêve, et c'était pourtant sa mère ; c'était la réalité trouvée à travers la poésie, le sentiment et l'imagination.

Diane ne se demanda pas comment le prodige s'était fait en elle. Elle accepta le fait tel qu'il se produisait et ne chercha pas comment sa raison se mêlerait plus tard de l'expliquer. Je crois qu'elle fit fort bien. Quand on est encore très jeune, il vaut mieux croire à des divinités amies que de trop croire à soi-même.

VIII. DÉBÂCLE

Je ne vous raconterai pas jour par jour les deux années qui suivirent. Diane continua à travailler avec courage et modestie, réclamant souvent avec une tendre humilité les conseils de son père. Mais celui-ci n'était pas disposé tous les jours à bien comprendre ce qu'il n'eût pas été capable de faire. Sans s'en rendre compte, Diane prenait une route tout opposée à la sienne. Le pays qu'elle habitait possédait beaucoup de beaux restes de la statuaire antique que l'on commençait à apprécier, car le goût français commençait, lui aussi, à chercher une pente nouvelle.

La gravure répandait et popularisait les trouvailles précieuses d'Herculanum et de Pompeïa[1], peintures, vases, statues, meubles, objets de toute sorte, et une *élégante simplicité*, comme on disait alors, tendait à remplacer la chinoiserie, le contourné et le *vanlotté*[2]. On connaissait mieux l'Italie, on voyageait davantage, et si on appréciait encore le beau coloris et l'aimable fantaisie de Watteau, on ne s'éprenait pas moins des vases étrusques et des médailles grecques. On ne revenait pas précisément au goût *du temps des Valois*, que nous appelons aujourd'hui l'époque de la Renaissance ; on tentait une renaissance nouvelle, moins originale, mais charmante encore. On faisait de ces meubles que nous appelons à présent *style Louis XVI*, et qu'alors on appelait meubles à l'antique. Ils étaient fort beaux sans être bien fidèles, mais ils avaient un grand air, et les femmes elles-mêmes commençaient à baisser

---

1. Herculanum avait été découvert en 1719, Pompéi en 1748.
2. Peint à la manière de Jean-Baptiste et Carle Van Loo, célèbres peintres de la première moitié du XVIIIe siècle. Le terme semble inventé par Sand.

leurs monumentales coiffures et à faire bouffer négligemment autour du front leurs cheveux encore poudrés. Les hommes bouclaient leurs ailes de pigeon, liaient d'un simple ruban leurs longs cheveux naguère renfermés dans une bourse ; quelques-uns même les relevaient en tresse avec un peigne d'écaille. Flochardet, dans son atelier, était coiffé ainsi et faisait des portraits dont l'ajustement était beaucoup moins compliqué que ceux qui lui avaient valu tant de gloire.

On ne s'étonna donc pas trop de voir sa fille, à laquelle on commençait à faire attention, s'habiller plus simplement encore que la mode ne l'y autorisait, et lui-même ne se demanda pas trop comment cette vision du passé, ce goût pour ce qui ne faisait que poindre, avait pu germer en elle, dans sa tendance et dans son talent, avec tant de parti pris et de précocité. Seulement, Flochardet devenait triste et se dégoûtait de son propre savoir-faire. Ce réveil de la forme dans l'art le prenait au dépourvu, lui qui l'avait toujours escamotée pour faire ressortir l'ajustement. Il s'apercevait d'une baisse croissante dans la vogue dont il avait joui. Il avait essayé d'augmenter ses exigences au moment où l'on était moins disposé à le payer cher, et comme il eût été humilié de consentir à un rabais, il voyait rapidement diminuer sa clientèle. On commençait à connaître et à estimer le talent de sa fille et on ne craignait pas de lui dire qu'il devrait se faire aider, au besoin remplacer par elle. Certes, le pauvre homme n'était pas jaloux du talent de sa chère Diane, mais, à aucun prix, il ne voulait qu'elle interrompît ses libres et fécondes études pour s'adonner au métier, pour gagner de l'argent et réparer les sottises de madame Laure.

Durant ces deux années que je vous résume, la position de l'artiste devint très grave. Il eût voulu tout sauver par un travail énergique, il se fût volontiers tué à la peine, mais la chose qu'il avait le moins prévue lui arrivait. Le travail lui manquait de plus en plus. Incapable de mettre de l'économie dans ses dépenses, madame Laure avait retiré de la communauté son petit avoir et s'était retirée à Nîmes, chez ses parents, où elle se tenait les trois quarts de l'année, ne se montrant qu'à de courts intervalles avec son mari, et le reste du temps dépensant en robes neuves le peu qu'elle possédait, au lieu de le sacrifier pour alléger les embarras du ménage. Diane, voyant son père délaissé, triste et seul, avait repris chez lui son domicile et partageait son temps entre lui et le docteur. On avait renvoyé presque tous les domestiques. Geoffrette faisait la cuisine, et Diane y mettait la main pour que son père, habitué à bien vivre, ne s'aperçût pas de cette décadence. Elle mettait de l'ordre dans la maison et dans les affaires. Longtemps elle retarda le désastre qui menaçait le capital, en servant fidèlement les intérêts. Mais un jour vint où les créanciers, las d'attendre, firent une saisie sur les maisons, les jardins, la petite ferme, les objets d'art et le mobilier.

Ce fut un coup très rude pour Flochardet, qui

ne pouvait plus le cacher à sa fille et à ses amis. Il était résigné à tout abandonner et à chercher dans une autre province, non pas une nouvelle clientèle, il faut des années pour cela, mais des travaux quelconques. Il en avait déjà obtenu à Arles, dans les églises ; il faisait des vierges, des saintes et des anges, et d'abord, il s'était imaginé pouvoir se passer de faire le portrait. Un instant même, il s'était réjoui, se croyant passé maître pour tout de bon en abordant ce qu'il appelait la grande peinture. Mais l'idée que l'on se faisait des vierges et des anges avait changé aussi ; longtemps on avait aimé les madones souriantes et grassouillettes du temps de Louis XV. On commençait à les vouloir plus sérieuses, moins semblables à de jolies nourrices de village, et on lança beaucoup de lazzis aux bonnes petites mamans que Flochardet entourait vainement d'un nimbe lumineux semé de roses parfaitement exécutées. Ces railleries, qu'on lui épargnait par un reste de déférence, arrivèrent pourtant aux oreilles de Diane. Elle comprit que son père ne se relèverait pas par cette nouvelle tentative, et elle entra, un soir, chez le docteur au moment où il se retirait dans sa chambre.

— Mon bon ami, lui dit-elle, savez-vous que mon père est perdu ?

— Oui, je le sais, répondit le docteur, tout à fait perdu ! Il lui faudrait deux cent mille francs et personne ne veut les lui prêter.

— Mais si quelqu'un se portait caution ?...

— Qui ferait cette folie ? Ce serait deux cent

mille francs jetés à l'eau ; ton père ne s'acquittera jamais.

— Vous doutez de lui ?

— Non ; mais, dès qu'il aura recouvré une aisance apparente, sa femme reviendra et le ruinera de plus belle.

— Achetez, au moins, une des maisons pour satisfaire les créanciers ; vous permettez que j'y demeure avec mon père, et, un jour, quand il ne sera plus, vous reprendrez tout ; moi, j'aurai assez de talent pour vivre ; il me faut si peu, qu'un tout petit peu de talent me suffira.

— Tu oublies que ton père n'a pas cinquante ans et que j'en ai soixante-quinze. Si j'achète ses biens et que je lui en laisse la jouissance, je ne retirerai jamais l'intérêt de mon argent et je mourrai dans la gêne. Est-ce là ce que tu veux ?

— Non ! je vous paierai le loyer ; je travaillerai, ma bonne fée fera encore un miracle pour moi, je gagnerai de l'argent ! Essayez, mon ami. Retardez la vente de nos biens en répondant du paiement et vous verrez qu'avant deux ans...

— Ce n'est pas si sûr que cela, dit le docteur. Il y a une autre solution, mais elle est bien grave. Je puis acheter pour toi au moins la maison de ville de ton père et tous les objets d'art de la maison de campagne. Je puis donc te mettre à même de lui conserver son domicile, ses habitudes et son bien-être, car vous pouvez louer une partie de cette maison qui est grande et vous en faire une petite rente pour subvenir à vos besoins. Mais voici ce qui arrivera : madame Laure reviendra chez son mari et elle s'arran-

gera pour te chasser de chez toi par ses tracas-
series. Tu ne supporteras pas cette lutte que tu
n'as jamais voulu engager, tu me reviendras, ce
dont je serai fort content ; mais ton père retom-
bera sous le joug, les dettes recommenceront,
car on ne vivra pas avec la petite rente que four-
niront les loyers. Alors, tu abandonneras la pro-
priété pour sauver l'honneur de ton nom, ton
père sera tout aussi ruiné qu'aujourd'hui, et toi,
tu le seras à tout jamais, car la dot que je voulais
te constituer aura passé à payer les cotillons à
falbalas de ta belle-mère. Tu n'ignores pas que
je veux partager ma fortune entre toi et mon
neveu. Ce que ton père doit équivaut, à peu de
chose près, à la moitié de mon avoir. Donc, si je
sauve ton père, je sacrifie ton avenir, cela est
aussi certain que deux et deux font quatre.

— Sacrifiez-le ! il faut le sacrifier ! répondit
Diane avec un ton d'autorité comme si elle eût
été une de ces fières déesses dont elle avait le
profil pur et la belle tournure. Vous ne m'aviez
jamais dit ce que vous vouliez faire pour moi : à
présent que je le sais, je me tranquillise, mon
père est sauvé. Vous ne pouvez pas me conseiller
de l'abandonner au désespoir et à la misère pour
préserver mon avenir.

— C'est fort bien, dit le docteur ; mais mon
présent, à moi ? mon revenu, c'est-à-dire mon
bien-être ? il faudra donc que je le diminue de
moitié, dès demain ?

— Si vous m'eussiez mariée, ne l'eussiez vous
pas fait ?

— Je comptais que tu resterais près de moi,

que nous vivrions en famille ; de cette façon on ne s'aperçoit pas de la dépense, on a pour compensation le bonheur domestique ; au lieu que me priver pour faire vivre largement madame Laure...

— Sans doute, reprit Diane, cela n'a rien de réjouissant ; mais tenez, j'y ai songé : je suis résolue à mettre mon autorité à la place de la sienne et je sens que j'en viendrai à bout. Je vous servirai l'intérêt du capital que vous me confiez. Croyez en moi, car si j'adore mon père, je vous adore aussi et je ne veux pas que vous souffriez, si peu que ce soit, du bienfait que vous me destinez.

— Allons ! dit le docteur en l'embrassant, j'y songerai. Va-t'en dormir et dors bien ; à tout risque et quoi qu'il arrive, ton père sera sauvé jusqu'à nouvel ordre, puisque tu le veux.

En effet, le lendemain, la maison de la ville et la maison de campagne mises aux enchères furent poussées et enlevées par le docteur Féron ; mais, contre l'attente de Diane, il garda pour lui l'une et l'autre. Il savait ce qu'il faisait et ne voulait pas la mettre dans l'alternative d'entrer en lutte avec son père ou d'être dépouillée par lui. Il connaissait la faiblesse de Flochardet pour sa femme et ne voulait pas non plus amener entre eux un rapprochement funeste. Il ne s'en ouvrit nullement à Flochardet. Mon ami, lui dit-il, je regrette de n'avoir pu vous sauver de cette catastrophe ; vous voilà dépossédé de tous vos biens, mais, puisque j'en fais l'acquisition, vous vivrez tranquille et sans dettes désormais. Vous vivrez

chez votre fille, à qui je loue votre maison devenue mienne. Elle tirera parti d'une grande moitié
de cet immeuble qui ne vous servait qu'à donner
des bals et des spectacles, et votre clientèle à
tous deux suffira à vos dépenses, car elle compte
travailler à vos côtés, et, tout en faisant des progrès, elle ramènera la vogue à votre atelier. Elle
ne s'en flatte pas sans raison. Je sais que l'opinion est bien disposée pour elle et que si elle l'eût
voulu, elle eût déjà eu des commandes et du
succès.

Flochardet remercia le docteur et objecta
pourtant que si sa femme voulait se réunir à lui,
il serait forcé d'élire un autre domicile.

— Si cela arrive, reprit M. Féron, elle accep-
tera celui que votre fille, principale locataire de
ma maison, vous offre à tous deux.

— Ma femme n'y consentira jamais ! elle a
trop d'orgueil : elle alléguera, pour vivre tout à
fait séparée de moi, que je n'ai pas de domicile
à lui offrir, parce qu'elle ne veut rien devoir à ma
fille.

— Ce sera un fort mauvais prétexte, car il lui
reste quelque chose et rien ne l'empêchera de
payer pension à sa belle-fille. Ce sera une
manière de contribuer aux dépenses de la communauté, devoir dont elle se dispense un peu
trop.

Flochardet sentit que le docteur avait raison, et,
à vrai dire, sa femme l'avait rendu si malheureux
qu'il ne pouvait pas la regretter beaucoup. Son
caractère facile ne lui fit pas envisager comme
humiliante la position qu'on lui offrait. Doux et

honnête, naturellement confiant, il espéra recouvrer sa clientèle et son indépendance, une fois qu'on saurait ses dettes acquittées.

IX. RETOUR À PICTORDU

En effet, il se fit un retour vers Flochardet. En province on n'aime pas les situations douteuses, et d'ailleurs, en face d'une faillite possible, presque tout le monde s'alarme, parce que presque tout le monde s'y trouve plus ou moins compromis. Quand tout fut liquidé rapidement et quand on vit l'honnête artiste, absolument dépouillé, attendre gaiement devant sa toile les bienveillantes figures de ses concitoyens, ces figures arrivèrent en souriant, et après mille marques d'estime et d'intérêt plus ou moins délicatement exprimées, on le mit à même de travailler. Près de lui, Diane à son chevalet, attendait avec calme et résolution qu'on lui amenât les enfants de ces messieurs et de ces dames. Elle avait déclaré choisir cette spécialité pour ne pas aller sur les brisées de son père. On lui amena toute la jeune génération de la ville et des châteaux d'alentour, l'espoir des familles, l'orgueil des mères, une série de marmots presque tous beaux, car il ne faut pas oublier qu'Arles est le pays de la beauté.

Diane montrait un aplomb extraordinaire, mais c'était un rôle que la pauvre enfant jouait par devoir. Au fond, elle se croyait trop ignorante pour bien faire, et invoquait encore, toute

grande personne qu'elle était, l'assistance mira-
culeuse de sa mère, la belle muse, car ces deux
types n'en faisaient plus qu'un dans sa pensée.

La première fois qu'elle se risqua, elle chercha,
la veille, dans son secrétaire, une vieille relique
qu'elle n'avait pas regardée depuis longtemps, la
petite tête de Bacchus enfant trouvée à Pictordu ;
elle avait depuis ce temps appris à s'y connaître,
et elle la trouva encore plus charmante qu'elle ne
lui avait semblé l'être. Cher petit dieu, lui dit-elle,
c'est toi aussi qui m'as révélé la vie dans l'art. Ins-
pire-moi, à présent ! Enseigne-moi ce secret de
vérité qu'un grand artiste inconnu a mis en toi.
Je consens à être ignorée comme lui, si comme
lui, je laisse quelque chose de beau comme toi.

Diane ne se permettait pas encore la peinture,
elle commença par le pastel qui était fort à la
mode en ce temps-là, et, du premier coup, elle
en fit un si remarquable et si charmant qu'il en
fut parlé à vingt lieues à la ronde. Dès lors la
clientèle lui arriva en même temps qu'elle revenait à son père. Les familles nobles ou bour-
geoises aimaient à se rencontrer dans cet atelier
si décent où le père et la fille travaillaient
ensemble, l'un causant avec esprit de gaieté,
après des années de mélancolies ou de préoccu-
pation qui avaient éloigné de lui ; l'autre, silen-
cieuse et modeste, ne se doutant pas de sa
beauté et se tenant de manière à ne pas faire de
jalouses. On se rappelait les airs évaporés, les
folles toilettes et le ton tranchant de madame
Laure, on ne regrettait pas d'en être débarrassé.
On était venu là autrefois pour babiller, c'était

101

affaire de mode ; on y vint pour causer, et ce fut affaire de bon ton.

Au bout d'un an, Flochardet et sa fille, ayant vécu très modestement, mais sans privation sérieuse, se trouvèrent à même de payer leur loyer au docteur. Il reçut l'argent et le plaça au nom de Diane. Par testament, il l'avait constituée propriétaire de toute son acquisition ; mais il se gardait de le dire, autant pour sauvegarder la dignité de Flochardet et pour stimuler le courage de Diane, que pour tenir madame Laure à distance.

Malgré cette attitude prudente, madame Laure revint au gîte quand elle sut que les dettes étaient payées et que les affaires marchaient bien. Elle ne se plaisait guère chez ses parents qui avaient peu de ressources et qui étaient économes. Elle n'y voyait presque pas de monde et ses belles toilettes ne lui servaient guère. Elle revint donc, et Diane se fit un devoir de la bien accueillir. D'abord madame Flochardet s'en montra touchée ; mais bientôt elle voulut s'introduire dans la bonne compagnie qui fréquentait l'atelier de son mari. Sa présence y jeta un grand froid, son caquet n'était plus de saison, on lui sut très peu de gré d'étaler ses belles robes et ses bijoux qu'elle eût dû vendre pour hâter la libération des dettes de la communauté. On trouva qu'elle en prenait trop à son aise, qu'elle avait avec Diane un ton de légèreté qui ne convenait point et on lui fit sentir qu'elle n'était plus agréable à personne. Elle en prit du dépit, s'exila de l'atelier, et chercha à renouer des relations au-dehors. Ce fut inutile, c'était un astre éclipsé ; sa beauté s'en allait avec ses triomphes. Les idées devenaient plus sévères. Elle fut reçue froidement et peu des visites qu'elle hasarda lui furent rendues.

Alors elle se fit hypocrite pour se réhabiliter, et, quittant ses habits roses comme la veuve de Malbrough, elle prit la tenue et les allures d'une dévote fervente. Comme elle n'était pas sincère, elle devint pire en jouant ce rôle ; elle n'avait été qu'égoïste et légère, elle devint envieuse et méchante. Elle disait du mal de tout le monde, calomniait au besoin, dénigrait toutes choses et troublait la famille par ses récriminations, ses plaintes, ses susceptibilités et l'aigreur de son caractère.

Diane la supportait avec une douceur inaltérable et, voyant que son père avait un reste d'attachement pour cette femme frivole, elle faisait le possible et l'impossible pour la rattacher à la vie de ménage. Il y avait une seule chose à laquelle elle savait résister, c'est au désir effréné qu'éprouvait Laure de remettre la maison sur son ancien pied. Comptant sur l'argent que gagnait de nouveau son mari, elle voulait qu'on renvoyât les locataires et qu'on reçût du monde comme autrefois. Diane tint bon et dès lors elle fut traitée en ennemie par sa belle-mère, qualifiée de tyran et dénoncée comme avare à qui voulait l'entendre.

Diane souffrit beaucoup de cette persécution, et bien des fois elle fut sur le point de retourner dans la maison du docteur pour y travailler en paix ; mais elle s'en défendit, sachant que son père serait malheureux sans elle.

Un jour, elle reçut la visite d'une jeune dame qu'elle hésita peu à reconnaître, tant elle avait la mémoire développée à l'endroit des figures. C'était madame la vicomtesse Blanche de Pictordu, mariée depuis peu avec un de ses cousins : toujours jolie, toujours pauvre et mécontente de son sort, mais toujours fière de son nom qu'elle avait la consolation de n'avoir pas quitté. Elle présenta son jeune époux à Diane. C'était un garçon fort niais, d'une figure commune et sotte. Mais c'était un Pictordu, un vrai, de la branche aînée, et Blanche n'eût pas compris qu'un autre fût plus digne d'elle.

Malgré cette obstination dans ses idées, Blanche était devenue plus sociable et comme, à tous autres égards, elle avait un certain esprit, elle se montra fort gracieuse pour Diane, lui fit compliment de son talent et n'affecta pas comme autrefois de rabaisser sa profession. Diane la revit avec plaisir, son nom et sa personne rafraîchissaient ses plus doux souvenirs d'enfance. Pour l'engager à revenir, elle lui demanda de lui laisser faire son portrait. Blanche devint pourpre de plaisir, comme au temps où elle avait reçu la boucle de turquoises. Elle se savait jolie, et voir sa figure retracée par une main habile était pour elle une ivresse ; mais elle était pauvre, et Diane comprit son hésitation. C'est un service que je vous demande, lui dit-elle. Reproduire un visage parfait est pour moi une satisfaction que je ne rencontre pas tous les jours, et comme cela est difficile, cela me pousse à faire des progrès.

Au fond, Diane ne tenait qu'à payer une ancienne dette de cœur au souvenir de Pictordu. Blanche ne pouvait comprendre cette délicatesse mystérieuse ; elle en fit honneur à ses charmes. Elle se laissa un peu prier et allégua divers empêchements, bien qu'elle eût très peur d'être prise au mot. Elle avait peu de jours à passer à Arles, sa position ne lui permettait pas de séjourner dans une ville de luxe ; son mari, occupé d'agriculture et de chasse, la pressait de retourner à la campagne où leur vie était fixée.

— Je ne ferai de vous, répondit Diane, qu'un léger croquis à trois crayons : blanc, noir et sanguine. Si je réussis, cela pourra être très joli, et je ne vous demande qu'une matinée.

Blanche accepta pour le lendemain, et, le lendemain, elle arriva avec une jolie robe bleu de ciel et la broche de turquoises passée dans le ruban de cou.

Diane fut inspirée, elle fit un de ses meilleurs portraits, et la vicomtesse se trouva si jolie qu'elle en eut des larmes de reconnaissance au bord des longs cils noirs qui bordaient ses yeux bleus. Elle embrassa Diane et la supplia de venir la voir dans son château.

— Au château de Pictordu ? lui dit Diane avec surprise ; vous me disiez que vous habitiez encore chez votre père. Est-ce que vous avez fait relever le vieux manoir ?

— Pas en entier, répondit la vicomtesse, cela ne nous eût pas été possible ; mais nous avons restauré un petit pavillon et nous nous y installons le mois prochain. Il y a une chambre d'amis. Si vous voulez l'étrenner, vous serez la plus aimable personne du monde.

L'offre était sincère. Blanche ajoutait que son père serait heureux de la revoir, ainsi que M. Flochardet, dont il s'était toujours souvenu avec complaisance et qu'il appelait *son ami Flochardet* quand il entendait parler de ses beaux ouvrages.

Diane eut un grand désir de revoir Pictordu, et elle promit de faire son possible pour s'y rendre le mois suivant, avec ou sans son père, car celui-ci l'engageait depuis longtemps à faire un petit voyage pour se distraire, ne fût-ce que d'aller voir à Mende sa vieille tante la religieuse. Pictordu se trouvait à peu près sur son chemin, et certes elle ferait un détour pour s'y rendre.

Quand madame Laure sut que Diane songeait à prendre un peu de repos nécessaire à sa santé, elle en eut de l'humeur. Il lui avait bien fallu reconnaître qu'elle gagnait plus d'argent que son père, qu'elle était plus estimée comme peintre et plus aimée. Son absence pouvait compromettre les intérêts de la maison, et elle le fit si aigrement sentir que Diane en fut impatientée à l'excès. On lui marchandait avec amertume une ou deux semaines de liberté, à elle qui, depuis deux ans, se privait de tout et travaillait sans relâche pour réparer le désastre causé par cette personne inutile et oisive.

Il faut avouer que la situation était pénible et que Diane avait mis un grand courage à refuser l'offre du docteur, qui l'invitait à voir l'Italie ou Paris, et qui était disposé à l'y conduire pour peu qu'elle le désirât. Diane le désirait passionnément, mais elle ne voulait pas l'avouer, parce qu'elle ne voulait pas céder à la tentation. Elle trouvait que c'était trop tôt et que son père n'était pas assez remis à flot pour se passer d'elle durant quelques mois.

Quand elle vit qu'on lui disputait, en remerciement de son sacrifice, le droit de s'absenter quelques jours, elle faillit se décourager de sa tâche et briser l'obstacle. Elle résista, répondit avec douceur qu'elle reviendrait vite, et fit son paquet, vingt fois interrompu par les importunes objections de sa belle-mère. Le docteur dut intervenir et décider que Diane partirait le jour suivant avec Geoffrette. Il recommanda en riant à sa chère enfant de tenir note de ses apparitions, si elle avait la bonne fortune d'en avoir encore, afin de les lui raconter aussi agréablement qu'autrefois.

Il fallait deux journées pour se rendre à Saint-Jean-Gardonenque. M. Marcelin Féron, le neveu du docteur, devenu docteur de grand renom lui-même, voulut accompagner les deux femmes jusqu'à cette ville, où elles se reposèrent la nuit. De là il se rendit chez un des ses amis qui demeurait aux environs, tandis que Diane, qui venait de retrouver avec joie le brave postillon Romanèche, prenait avec sa nourrice le chemin de Pictordu, dans une carriole de louage. On avait fait à ce terrible chemin quelques réparations nécessaires, et nos voyageuses arrivèrent sans

107

accident, dans l'après-dînée, au bas de la terrasse du château.

Ce n'était plus là l'entrée. Le pavillon réparé, qui n'était autre que l'ancien *bain de Diane*, avait son entrée plus bas. Mais Diane voulait revoir seule cette statue qui lui avait parlé. Elle tremblait de ne plus la retrouver. Elle envoya donc Romanèche et Geoffrette en avant, et, franchissant une petite barrière récemment posée, elle gravit légèrement les marches inégales et brisées du grand escalier.

Il était environ quatre heures de l'après-midi, le soleil commençait à éclairer obliquement les objets. Diane, avant de découvrir sa chère statue à travers les buissons qui la lui masquaient, vit son ombre se projeter sur le sable de la terrasse, et son cœur battit de joie. Elle y courut et la contempla avec surprise. Dans son souvenir, elle était gigantesque, et, en réalité, elle était à peine grande comme nature. Était-elle belle et monumentale comme Diane l'avait gardée dans sa pensée ? Non, elle était un peu maniérée, et les plis de son vêtement étaient trop fouillés et trop cassants ; mais elle avait de l'élégance et de la grâce quand même, et Diane, qui eût été désolée d'avoir à la dédaigner, lui envoya un baiser naïvement attendri que la statue ne lui rendit pourtant pas.

La terrasse était dans le même état d'abandon qu'autrefois. Les grandes herbes n'étaient pas foulées. Diane vit qu'on ne se promenait jamais par là ; elle sut plus tard que Blanche, qui craignait beaucoup les serpents et qui traitait de vipères les plus innocentes couleuvres, n'allait jamais dans les ruines et ne permettait à personne d'y aller. Pourtant elle habitait au milieu de ces décombres, et Diane s'étonnait, en même temps qu'elle s'en réjouissait, de voir que cette solitude et ce désordre qui l'avaient autrefois charmée, n'avaient subi aucune amélioration bourgeoise, c'est-à-dire aucune altération.

Elle admira ce pêle-mêle d'arbres touffus et d'arbres morts, de magnifiques plantes sauvages et de plantes autrefois cultivées, aussi libres, aussi folles les unes que les autres ; ce chaos de pierres où la mousse avait envahi la roche naturelle et la roche taillée. Elle revit le filet d'eau pure qui avait alimenté jadis les bassins et les cascatelles, et qui frissonnait discrètement entre l'herbe et les cailloux. Elle contempla cette élégante façade renaissance, où le lierre vivace s'enlaçait aux guirlandes de lierre fouillées dans la pierre. Quelques fenêtres finement ouvragées, quelques clochetons avaient peut-être disparu. Diane ne se souvenait pas bien exactement de ces détails ; l'ensemble avait encore cet aspect riant et noble que conservent, même dans leur décrépitude, les édifices de cette brillante époque.

X. DISCOURS DE LA STATUE

Diane voulut retrouver elle-même, à travers le chaos des ruines de l'intérieur, le chemin du pavillon, et elle le retrouva sans hésiter. Blanche, avertie par l'arrivée de sa voiture, accourut au-devant d'elle et l'accueillit avec mille caresses, puis la fit entrer dans ce pavillon des thermes où elle avait passé une nuit mémorable dans son existence. Hélas, ici tout était changé. De la grande salle ronde, on avait fait une espèce de salon d'où la piscine avait disparu. On en avait taillé les marbres pour faire des manteaux de cheminée, la voûte enguirlandée s'était transformée en un ciel d'un bleu cru, les nymphes, trois fois hélas ! ne menaient plus leur ronde légère et décente sur la muraille circulaire. Le salon, revêtu d'une tenture de toile orange à gros bouquets, était désormais carré, les parties retranchées avaient servi à faire de petites chambres.

Le cloître à arcades avait été débarrassé de ses décombres et de ses plantes sauvages, l'intérieur était devenu un jardin potager, et la source, privée de ses menthes et de ses scolopendres, disparaissait, captive, sous une margelle de puits. Les poules grattaient le fumier dans une petite cour voisine, qui avait été la salle des étuves et qui était encore dallée en porphyre ; une allée de mûriers fraîchement plantés, qui ne paraissaient pas bien décidés à s'accommoder du terrain et du climat, descendait au chemin neuf sans passer par l'ancien parc, ni par les ruines. Les châtelains de Pictordu, en se glissant dans un coin du nid de leurs ancêtres, avaient fait tout leur possible pour lui tourner le dos et ne jamais le traverser.

En admirant par complaisance le parti que Blanche avait su tirer de ce reste d'habitation,

Diane soupirait en songeant au parti bien différent qu'elle en eût tiré elle-même. Mais Blanche paraissait si fière et si satisfaite de ses arrangements, qu'elle se garda bien de rien critiquer. Le marquis et son gendre arrivèrent bientôt pour souper, le gendre, rouge et hâlé, appelant ses chiens, parlant d'une voix vibrante et riant aux éclats après chaque phrase, sans qu'on pût deviner ce qu'il avait dit de réjouissant ; le marquis, toujours poli, affectueux, effacé, mélancolique. Il fit à Diane l'accueil le plus aimable, il n'avait rien oublié de sa première visite. Et puis il l'accabla de questions singulières auxquelles il était impossible de répondre sans entrer dans des explications comme on en donnerait à un enfant. Ce brave homme vivait tellement à part du monde, son horizon s'était tellement rétréci, que, voulant parler de tout pour ne pas paraître trop arriéré, il montrait qu'il ne comprenait plus rien à quoi que ce fût.

Blanche, plus fine, et un peu plus époussetée par l'air du dehors, souffrait de la simplicité de son père et encore plus de l'aplomb avec lequel son mari le redressait en proclamant des notions encore plus fausses. Elle les contredisait tous les deux avec un dédain visible. Diane regrettait l'ancienne solitude de Pictordu et se demandait pourquoi elle avait quitté l'aimable causerie de son père et l'intéressante conversation du docteur, pour entendre ce trio insipide qui n'avait même pas le mérite de l'ensemble.

Elle allégua un peu de fatigue et se retira de bonne heure dans l'étroite chambrette que ses hôtes décoraient du titre de chambre d'honneur. Elle n'y put dormir. Une odeur de peinture fraîche la força d'ouvrir sa fenêtre pour échapper à la migraine.

Alors elle vit que cette fenêtre donnait sur un petit escalier extérieur collé en biais à la muraille. C'était un reste épargné de l'ancienne construction. La rampe n'était pas encore remplacée, mais la nuit était belle et claire. Diane s'enveloppa de son mantelet et descendit, contente de se trouver seule et de s'en aller, comme autrefois, à la découverte du château merveilleux de son rêve. La belle muse qu'elle regardait comme sa bonne fée ne vint pas la prendre par la main pour lui faire franchir les spirales dressées dans le vide par-dessus les voûtes écroulées. Elle ne put se promener sous ces arcades qui essayaient en vain de franchir les abîmes de décombres. Mais elle reconstruisit dans sa pensée cette féerique villa, créée au sein d'un désert, dans le goût italien, alors que l'Italie nous devançait encore en fait d'art et de goût. Elle revit en esprit les fêtes de cette splendeur évanouie qui ne pouvait plus renaître sous sa forme ancienne et que déjà l'industrie bannissait de l'avenir. Elle ne rencontra aucun fantôme dans sa promenade, mais elle eut une vive jouissance à contempler les beaux effets du clair de lune dans les ruines. Elle put monter assez haut sur les assises de rochers qui dominaient le château, pour voir l'échappée de lumière glauque que la petite rivière ouvrait dans la profondeur du ravin. Çà et là, un bloc qui encombrait son lit se dessinait en masse noire, au milieu d'un tremblotement de diamants. Les chouettes s'appelaient d'une voix féline, les genêts et les fougères exhalaient leur parfum sauvage. Un calme profond régnait dans l'air, les branches des vieux arbres étaient aussi immobiles, aussi sculpturales que les ornements de pierre de la terrasse.

Diane éprouva comme un besoin de résumer sa courte vie au milieu de cette nature qui semblait absorbée dans la méditation de l'éternité. Elle revit son enfance, ses moments de curiosité sérieuse, ses langueurs maladives, ses aspirations vers un idéal mystérieux, ses découragements, ses enthousiasmes, ses chagrins, ses efforts, ses succès et ses espérances. Mais là, elle s'arrêta ; son avenir était vague, mystérieux comme certaines phases de son passé. Elle sentait tout ce qui lui manquait pour franchir l'humble limite qu'elle avait acceptée en venant au secours de son père. Elle savait bien qu'au-delà du métier qui assurait son indépendance et sa dignité, il y avait un grand essor à prendre : mais pourrait-elle jamais entrer dans les conditions de ce développement ? Pourrait-elle voyager, connaître, sentir ? secouer l'entourage, l'habitude, le devoir de chaque jour, cette borne que son père eût pu franchir et où il s'était arrêté pour obéir aux exigences d'une femme qui ne voyait dans l'art que le profit ?

Diane se sentait liée, arrêtée, brisée par cette même femme à laquelle il fallait disputer à toute heure l'esprit paresseux et vacillant de son père. Elle avait été naguère sur le point de l'écraser de son dédain. Elle s'était contenue, car elle avait sur elle-même l'empire qui manquait à son père, et quand elle se sentait près d'éclater, elle sentait aussi comme une force secrète qui lui disait : « Tu sais qu'il faut te vaincre. »

Elle se rappela ces moments de lutte intérieure et pensa à sa mère qui sans doute lui avait légué cette secrète et précieuse énergie de la patience. Alors elle invita avec ardeur cette âme protectrice à entrer dans la sienne pour lui tracer son devoir, comme sa figure était entrée dans sa vision pour lui révéler la beauté. Devait-elle renoncer résolument à connaître les hautes jouissances de l'esprit pour ne pas abandonner son père ? Devait-elle résister à la voix de cette muse maternelle qui l'avait enlevée et transportée dans la région du beau et du vrai pour lui montrer cette voie sans fin où l'artiste ne doit pas s'arrêter ?

Elle réfléchissait ainsi en marchant, et elle se trouva auprès de la statue sans visage, sa première initiatrice. Elle s'appuya contre le socle, la main appuyée sur ses pieds froids. Il lui sembla alors entendre une voix qui, si elle partait de la statue, résonnait en fortes vibrations en elle-même, et qui lui disait :

« Laisse le soin de ton avenir à l'âme maternelle qui veille en toi et sur toi. À nous deux, nous trouverons bien la route de l'idéal. Il ne s'agit que d'accepter le présent comme une étape où, en te reposant, tu travailles quand même. Ne crois pas qu'il y ait un choix à faire entre le devoir et une noble ambition. Ces deux choses sont faites pour marcher ensemble en s'aidant l'une l'autre. Ne crois pas non plus que la colère vaincue et la peine endurée soient les ennemies du talent. Loin de l'épuiser, elles le stimulent. Souviens-toi que tu as trouvé dans les larmes le type que tu cherchais, et sois sûre que, quand tu souffres avec vaillance, ton talent grandit à ton insu avec ta force. La santé de l'intelligence n'est pas dans le repos, elle n'est que dans la victoire. »

Diane rentra, pénétrée de cette révélation intérieure, et, laissant sa fenêtre entr'ouverte, elle dormit on ne peut mieux.

Le lendemain, elle sentit un calme délicieux dans tout son être. Elle accepta sans impatience les naïvetés du bon marquis et les grosses platitudes de son gendre. Elle communiqua même sa bonne humeur à Blanche et l'emmena, un peu à son corps défendant, explorer les ruines au grand jour.

Le docteur ne s'était pas borné à démontrer le beau dans l'art à sa chère Diane, il le lui avait fait saisir aussi dans la nature, et il lui avait donné des notions qui rendaient ses promenades intéressantes. Il lui avait recommandé de lui rapporter de son voyage quelques plantes rares qui sont particulières aux Cévennes : *reseda jaquini*, *saxifraga clusii*, *senecio lanatus*, *cynanchium cordatum*, *œthionème saxatile*, etc. Diane les chercha et les trouva. Elle les recueillit avec soin pour son vieil ami et récolta pour son propre compte des fleurs moins précieuses, mais charmantes encore, la potentille des rochers, le beau géranion bleu des prés et le gracieux géranion noueux, la saponaire ocymoïde qui tapissait de ses innombrables fleurettes roses les parois rocheuses de la rivière, l'érine alpestre qui s'épanouissait sur les ruines dans les endroits humides, et la renoncule de Montpellier qui étoilait d'or les gazons de la terrasse. Tout en cherchant ces fleurettes, Diane ramassa une pièce de monnaie assez informe, couverte d'une épaisse couche d'oxyde, et la remit à Blanche en lui disant de la nettoyer avec précaution sans la gratter.

— Gardez-la, répondit la vicomtesse, si vous attachez quelque prix à ces vieux liards ; moi je n'y connais rien et j'en ai beaucoup d'autres dont je ne fais aucun cas.

— Vous me les montrerez, reprit Diane. Je n'y connais pas grand-chose ; pourtant je pourrai distinguer celles qui sont intéressantes, et, avec l'aide du docteur Féron, qui est très savant… qui sait ? j'ai la main heureuse à ce qu'il prétend. Peut-être possédez-vous à votre insu un petit trésor.

— Que je vous donnerai pour rien de bon cœur, ma chère Diane ! Tout cela c'est du cuivre, de l'or très mince, ou de l'argent noirci.

— Ce n'est pas une raison ! S'il y a là quelque chose de précieux, je vous le dirai plus tard et vous en restituerai la valeur.

Elle vit les médailles recueillies autrefois par le marquis et jetées dans un coin de son habitation où l'on eut quelque peine à les retrouver. Diane jugea qu'elles n'étaient pas toutes sans valeur et se chargea de les faire examiner par des personnes compétentes. Elle ne voulut pas nettoyer celle qu'elle avait ramassée, craignant de la gâter, et attachant je ne sais quelle idée superstitieuse à sa trouvaille personnelle. Elle l'enveloppa dans du papier et la mit dans sa malle avec les autres.

Le lendemain elle alla voir lever le soleil au haut de la montagne ; elle était seule et marchait au hasard. Elle se trouva dans une anfractuosité de rocher, en face d'une admirable petite cascade qui s'élançait brillante et joyeuse au milieu des rosiers sauvages et des clématites à houppes soyeuses. Le soleil oblique envoyait un rayon rose sur ce détail exquis du tableau, et, pour la première fois, Diane sentit l'ivresse de la couleur. Comme la montagne n'était éclairée que de profil, elle se rendit compte de cette vie magique de la lumière plus ou moins répandue et plus ou moins reflétée, passant de l'éclat à la douceur et des tons embrasés aux tons froids, à travers des harmonies indescriptibles. Son père lui avait souvent parlé de *tons neutres*. Mon père, s'écriat-elle involontairement, comme s'il eût été là, il n'y a pas de tons neutres, je te jure qu'il n'y en a pas !

Puis elle sourit de son emportement et but à loisir cette révélation qui lui venait du ciel et de la terre, du feuillage et des eaux, des herbes et du rocher, de l'aurore chassant la nuit, de la nuit se retirant gracieuse et docile, sous ses voiles transparents que le soleil cherchait à percer. Diane sentit qu'elle pourrait peindre sans cesse de dessiner, et son cœur tressaillit d'espoir et de joie.

Au retour, elle s'arrêta encore auprès de la statue et se rappela ce qu'elle avait senti la veille se formuler dans son âme. Si c'est toi qui me parles, pensa-t-elle, tu m'as bien enseignée hier. Tu m'as fait entendre qu'une bonne résolution vaut mieux qu'un beau voyage. Tu m'as dit de rentrer souriante dans la prison du devoir, je te l'ai promis, et voilà qu'aujourd'hui j'ai fait dans l'art une conquête enivrante. J'ai fait mieux que de comprendre, j'ai senti, j'ai vu! J'ai acquis une faculté nouvelle, la lumière est entrée dans mes yeux, aussitôt que la volonté rentrait dans ma conscience. Merci, ô ma mère, ô ma fée! Je tiens, grâce à toi, le vrai secret de la vie.

Diane quitta Pictordu pour passer deux jours à Mende. Revenue chez elle, elle se remit au métier, et, en même temps, elle essaya la peinture sans rien dire à personne. Elle s'était fait prêter de bons tableaux et elle copiait tous les matins pendant deux heures. Elle suivait avec attention le travail de son père qui faisait toujours, de temps en temps, pour les églises, des vierges grasses avec la bouche en cœur, mais qui, à force de manier la brosse, avait acquis beaucoup d'habileté. Elle vit ce qu'il faisait et ce qu'il ne faisait pas. Elle profita de ses qualités et de ses défauts.

Et un beau jour elle essaya de peindre le portrait, elle copia des enfants et créa des anges. Un autre beau jour, plus tard, on s'aperçut qu'elle faisait de la peinture très belle et très bonne, et sa réputation s'étendit très loin. Madame Laure sentit que cette belle-fille, si détestée et si patiente, était une poule aux œufs d'or et qu'il ne fallait pas la tuer. Elle s'apaisa, se soumit, fit mine de la chérir, et, à défaut de la vraie tendresse dont son cœur n'était point pourvu, elle lui témoigna du respect et des égards ; elle se résigna à ne plus la maudire, à se trouver fort heureuse, à ne manquer de rien, pas même d'un certain superflu, car Diane se privait très volontiers d'une robe pour lui en donner une plus belle ; enfin à ne plus tourmenter le bon Flochardet qui, grâce à sa fille, redevint aussi sage et aussi heureux qu'au temps de sa première femme.

Un jour, Diane vit arriver la vicomtesse de Pictordu qui, après mille caresses et autant de circonlocutions, se résigna à lui demander si elle avait pu tirer quelque parti de ses médailles. Elle avouait que le pavillon des thermes lui avait coûté plus d'argent à restaurer qu'elle ne l'avait prévu et que son mari était fort embarrassé pour payer une somme, petite en réalité, mais considérable pour lui, qu'il avait dû emprunter.

Elle ajoutait que si Diane avait toujours une passion d'artiste pour les ruines de Pictordu, elle était résignée à s'en défaire et qu'elle les lui céderait avec toute la partie rocheuse du vieux parc, pour un prix très modéré.

— Ma chère vicomtesse, lui répondit Diane, si, quelque jour, je suis en situation de me passer cette fantaisie, j'attendrai que vous soyez sérieusement dégoûtée du château de vos ancêtres — mais sachez que vous n'êtes nullement forcée de faire ce sacrifice. Je n'ai point oublié vos monnaies anciennes. Il m'a fallu du temps pour les faire estimer et connaître, j'en suis venue à mes fins et j'ai le plaisir de vous annoncer qu'il y en a trois ou quatre d'une réelle valeur, surtout celle que j'ai trouvée moi-même. J'allais vous écrire pour vous communiquer les diverses propositions que le docteur a reçues des musées et des amateurs. Puisque vous voici, je veux que vous consultiez vous-même le docteur Féron; mais sachez qu'en acceptant dès aujourd'hui les offres telles qu'elles sont, vous pouvez réaliser une somme double de celle qui vous est nécessaire.

Blanche émerveillée se jeta au cou de Diane et l'appela son ange tutélaire. Elle s'entendit avec le bon docteur qui avait fait les choses pour le mieux et qui fit rentrer assez vite le produit de cette petite fortune. Blanche retourna chez elle pleine de joie, après avoir supplié Diane de revenir la voir.

Mais Diane n'avait plus rien à faire au château de Pictordu. Elle ne souhaitait point le posséder matériellement. Elle le possédait dans sa mémoire comme une vision chère et sacrée qui lui apparaissait quand elle voulait. La fée qui l'y avait accueillie l'avait quitté pour la suivre, et cette inspiratrice demeurait à présent avec elle, pour toujours et en quelque lieu qu'elle se transportât. Elle lui bâtissait des châteaux sans nombre, des palais remplis de merveilles, elle lui donnait tout ce qu'elle pouvait souhaiter, la montagne comme la forêt et la rivière, les étoiles du ciel comme les fleurs et les oiseaux. Tout riait et chantait dans son âme, tout étincelait devant ses yeux quand, après un sérieux travail, elle sentait qu'elle avait réalisé un progrès et fait un pas de plus dans son art.

Ai-je besoin de vous dire le reste de son existence ? Vous le devinez bien, mes enfants, ce fut une existence très noble, très heureuse et très féconde en ouvrages exquis. Diane, à vingt-cinq ans, épousa le neveu du docteur, cet excellent frère d'adoption qui était un homme de mérite et qui n'avait jamais songé qu'à elle. Elle se trouva donc riche et put faire beaucoup de bien ; entre autres, elle fonda un atelier de jeunes filles pauvres, qu'elle forma elle-même *gratis*. Elle fit avec son mari les beaux voyages qu'elle avait rêvés et revint toujours avec bonheur retrouver son pays, son vieux ami, son père, et même sa belle-mère, qu'elle était arrivée à aimer pour lui avoir beaucoup pardonné ; car c'est une loi des bonnes natures : on s'attache à ce qu'on a supporté, on tient à ce qui vous a coûté beaucoup. Les grands cœurs aiment le sacrifice, cela est bien heureux pour les cœurs étroits. Il y a des uns et des autres, et en apparence les derniers vivent aux dépens des premiers. Mais, en réalité, ceux qui donnent et pardonnent connaissent les plus hautes jouissances, car c'est avec eux que se plaisent les génies et les fées, esprits absolument libres dans leur manière de voir, qui fuient les personnes enchantées d'elles-mêmes et ne se montrent qu'aux yeux agrandis par l'enthousiasme et le dévouement.

Nohant, 1er février 1873.

COLLECTION FOLIO 2€

Dernières parutions

Composition IGS-CP
Impression Novoprint
à Barcelone, le 10 septembre 2013
Dépôt légal : septembre 2013
1ᵉʳ dépôt légal dans le collection: août 2012

ISBN : 978-2-07-044807-4./Imprimé en Espagne.

261466